왕따 소년 이력서

왕따 소년 이력서

발 행 | 2024년 04월 12일
저 자 | 이상근
펴낸이 | 한건희
펴낸곳 | 주식회사 부크크
출판사등록 | 2014.07.15.(제2014-16호)
주 소 | 서울특별시 금천구 가산디지털1로 119 SK트윈타워 A동 305호
전 화 | 1670-8316
이메일 | info@bookk.co.kr

ISBN | 979-11-410-8067-9

www.bookk.co.kr

왕따 소년

이력서

이상근 지음

작가의 말

누구나 앞만 보고 열심히 살아온 인생이라고 말한다. 이 세상에 태어나서 언제 생을 마감할는지는 모르지만 앞일을 설계하고 그에 상당한 노력을 하고 산다.

이름3자 명예를 남기려고 애쓰는 사람이 있는가 하면 재물을 일구어서 자식에게 기대를 걸고 유산을 남기려고 애쓰는 사람이 있는가 하면 오직 자기만의 즐거운 취미생활과 건강을 위하는 사람도 있다.

여러 부류의 삶 중에 어느 부류에 속하는지 필자자신도 잘은 모르지만 열심히 살아왔다. 인생 70고개를 훌쩍 넘기면서 나에게도 지난날이 있었고 아직도 내일을 설계하고 거기에 상응한 노력을 개을리 하지 않는다.

지난날을 회상하면서 나이와 연도를 더듬어서 글을 쓸 수 있는 글감 제목을 찾아서 나열하고 뼈대를 세워본다.

차례 후반에 제목(적색 글씨)은 올려놓고 서술하지 못한 부분도 있다. 다음에 또 쓸 수 있는 초고를 남겨본다.

필자는 두메산골에 가난한 집안의 6남매 맏이로 태어났다. 논밭이 없는 아버지는 매일 남의 날품 일을 다니고 어머니는 화장품 도붓장사를 하였다.

어린 남동생 하나를 데리고 동네에서 아버지가 날품 일을 하는 집으로 밥 얻어 먹으로 몇몇 집을 찾아다녔다. 가난한 집 아이가 학교를 갔더니, 뚱발이 대장 소대장 골라잡아 십오전 하면서 놀려대고 왕따를 시켰다.

밥 얻어먹던 소년이 서울 종로구 의원을 하고 만학으로 석, 박,까지 하여 인터넷에 검색하면 시인 유튜버로 나온다.

작가의 말 ! 차례

나이 지나온 일들의 제목 년도	페이지
00 왕따 소년 이력서 49년	10
01 이름의 비밀 50년	13
04 나는 3대종손 8촌형님 53년	14
05 2~3년후 출생신고 6살 취학전 54년	16
06 학교들어가기 전에 55년	17
07 8살에 학교입학 상근이로 56년	18
07 할아버지와 합가하다 56년	20
08 학교회비2백환(현20원)못 낸 학생 57년	22
08 2학년말에 전학 안법3학년으로 57년	23
09 3학년말에 잡부금 못내 쫓겨나 58년	25
10 장동재 선생님은 59년	26
10 4년말 교훈. 급훈 대신 이승만 글쓰기 59년	26
11 5학년때- 4.19의거 60년	27
12 6학년때- 5.16혁명 61년	27
12 초등6학년 때는 중학교 입학시험 61년	28
13 중학교에 들어갔다 62년	29
13 화폐개혁6월10일 62년	30
14 중학생들의 스트라이커 63년	30
15 중학생인데 철이 들었나 64년	32
16 밀양실업고등학교에 들어가 65~67	34
16 밀양읍 오두막집 부엌방서 자취 65년	36
17 나무에 석유곤로 연탄불에 자취밥 66년	37
19 1968년 5월 서울에 상경하다 68년	38
19 서울400만 영등포100만(한강남쪽) 68년	39

19 가전제품 외판사원으로 68년 41
19 외판사원으로 독립과 퇴장 68년 43
19 직업 안내소에 취직을 68년 44
20 비어홀 7번 웨이타로 69년 46
21 신문보급소총무수금원 70년 48
22 신체검사 년말 보결 입영통지서 71년 49
23 논산 육군 제2훈련소 입대 72~74년 49
24 육군복무기간 중에 맞선 73년 51
25 육군3년 만기전역 후 서울로 74년 53
26 신문보급소를 하려고 75년 53
26 학습지보급소 하다 전화 없이 75~77 54
27 귀인이 찾아 왔는데도 76년 55
28 집사람이 만화가게 77년 55
29 청계천대로에 노점장사를하다 78년 57
30 때가 안되면 보이질 않아 79년 58
30 인장영업사원으로 79년 58
31 좋은 아이템은 자금이 모인다 80년 59
31 삼중인징금형 삼중당 80년 60
31 여동생참여 큰아이가 80년 61
31 천호동에서 종로6가동으로 80년 62
31 광주항쟁 일어나다 5월18일 80년 63
32 남동생과 처남(전역한)참여 81년 64
33 아들창호출생 한옥기와집구입 82년 64
33 때 놓친 재테크 방법 82년 65
34 통신판매 종로5가 228-16호 83년 65
34 삐삐수신기 구입 83년 66

34 붓글씨 시작 이산가족 찾기 83년 67
35 여동생(80~84) 5년근무 결혼 84년 67
36 동판인장글씨가 선명하게 개발 85년 68
37 동판인장에서 수지판으로 86년 68
38 숭인동72-149호로 이사하다 87년 69
38 경조인을 개발하다 87년 69
38 경조인 특허싸움(서석홍)을 하다 87년 70
39 창신동19평 한옥구입 점포로수리 88년 71
40 시집간 여동생가족 숭인동 집으로 89년 72
41 폴더형 휴대폰구입 90년 72
41 어머니에 제가 장사 소질 있는지? 90년 73
42 쌍용아파트로 이사하다 91년 74
44 혜화경찰서 위민위원으로 93년 75
45 인장함 大 中 小 금형 파다 94년 76
46 라이온스회원에 가입하다95년 76
47 맹호부대 훈련 기념도장 주문시작 96년 77
48 새마을금고 창신1동 이사를 하다 97년 78
49 창신1동 자연보호회장 98년 78
49 적층식 화분수족관 실용신안특허 98년 79
50 선거관리감시위원에 선임 99년 79
50 내년구의원선거에 출마 양보하다 99년 80
51 삼중당 큰길로 나오다 00년 81
53 조립식도장 특허 타 업소에 꽂 02년 82
53 두산아파트로 이사하면서 통장으로 02/11 82
55 창신1동자연보호서 연합회장으로 04~07 83
55 주민자치위원서 자치위원장으로 04~05 85

56 방송통신대학으로 만학 05년 85
56 청계천복원추진위원 활동시작 05년 86
56 쓸개담석수술 서울대학병원에서 05년 87
56 선거 앞두고 큰딸을 시집보내다 05년 88
57 처음선거 시작에 상대의 고발로 06년 89
57 처음 구의원선거에 실패하다 06년 90
59 경동대학 컴퓨터 공학도로 08~12년 90
59 아버지 보훈장학금으로 대학 08~12년 91
60 출근길 어지럼증 국립의료원 2009년 91
60 추간공 협착증5,6,7번 고장 2009년 93
61 구의원 당선 전반기행정문화위원장 10~14년 95
61 육군복지단과 훈련기념인장 계약 10~13년 97
62 청첩장 발송중 아버지 대전현충원으로 11년 97
62 둘째딸 결혼식 한빛예식장에서 11년 98
63 연세대 정경대학원 입학 12년 98
63 연세대 원주에서 야간질주 12~14년 99
63 구의원재직 대학원재학 장모님별세 12년 100
63 후반기 분과위원장 못하고 자리다툼 12년 101
64 후반기 예산결산위원장으로 13년 102
65 재선에 실패하면서 14년 103
65 갑상선수술 서울대병원에서 14년 104
65 연세대정경학원(행정학전공)석사졸업 14년 104
65 성균관대학 유학대학원 유림지도자 14~15년 106
66 평생교육원 수도 컴,영 서예 14~15년 106
67 상명대학경영학박사과정 입학하다 16/3~18/8 108
68 종로복지관 다니기 시작하다 17/11 109

69 새마을금고 감사출마 무산되다 18/2 109
69 지방선거에 흐름을 못 따라 18/05 110
69 상명대학경영학박사수료 18/8/23 111
69 칠순 특허증 전자카렌다 디스플레이 18/7 112
69 서울시복지센터 칠순에 영상제작을 18/12 112
70 유튜브 개설 이상근 TV 19/03/11 113
70 금고이사장에 출마하여 낙선 19년 113
70 문예춘추에 등단과 시비 세움 19/5/17 114
71 빈혈과 어지럼증 쥐가나 2020년 114
71 타석증 국립의료원수술 20년 115
72 타석증 재차수술 침샘제거 21년 115
72 금고감사서류반려 장인요양원 21년 116
72 동기생 중에 첫 박사눈문 통과 2021년8월 116
73 포털사이트 네이버 다음 유튜브 검색 22년 116
73 어머니향년95세 금고대의원부터 22년 116
73 지방선거 22년 116
73 시인처럼 살고 싶다 출판 22/12/14 116
74 이상근 TV 유튜버 활동 23년 **117**
75 새마을금고 감사 낙선 24년 118
나이 지나온 일들의 제목 년도 페이지

00 **왕따소년 서울 몸부림** 1949년

아명이 '헐생' 이였다. 부모님도 친구들도 헐상아
외갓집에서 헐상아 진 외갓집에서도 헐상아
초등학교에 들어갔을 때 '이상근'이라 불렸고
그때부터 관명이'이상근'이라는 것을 알았다.

2학년 말에 갑자기 전학하여 3학년에 들어갔는데
한정길 선생님은'가분수'라고 별명 지어서 부르고
친구들은 '뚱발이 대장 소대장'이라 놀려댔었다.
가난뱅이 집 아이라고 따돌림을 당하고 있을 때
중학교 노장현 선생님은'이 의원'으로 별명 짓고
내성적인 나를 용기와 희망을 가지게 해 주셨다.

처음 가져보는 나의 명함에는 7번 웨이터 지각생
나 자신을 지각생이라고 이름 지어서 사용하였다.
특허증이 12장 되니까 아이디어맨으로 불리기도 했고
삼중당상호로 45년을 살았으니 대표라 불리기도 한다.

호(號)가 무엇이냐고 물으면 삼중(三中)이라 하였다.
광주 처갓집에서는'이서방'으로 다 통하지만
일가친척 아우들은 광주 형님이라 불렀고
형님들은 서울 아우라 부른다.
종로구 창신1동에서 야간에는 자율방범대장이지만
낮에는 주민자치위원장으로 불리고,
종로구에서는 자연보호 연합회장으로 불렸다.

종로구의회에 지방의원으로 당선되었을 때는
전반기에는 행정문화 위원회 위원장으로,
후반기에는 예산 결산 위원장으로 있었다.

창신1동 주민문화센터에 자치위원장 사진이 걸려있고
종로구의회 현황판에도‘6대의원’사진이 남아있다.
방범초소 사무실에도 나의 사진이 또 걸려있다.
동네 사람들이 나를 부르는 호칭은 대장, 사장,
회장, 위원장, 구의원, 등 여러 가지이다.

지금 복지관에서 유튜버 詩 창작을 배우면서
영상시를 창작하여 유튜브에 올리기까지
시나리오를 써서 단편영화까지 제작했으면 좋겠다.
팝송으로 거리공연도 하면서
태블릿으로 디지털 드로잉 그림을 그린다.

인터넷으로 ‘이상근’ 검색하면 기초의원 박사수료
유튜브창에 '이상근TV' 검색하면 자작시 나오고
‘구글’ 에 ‘이상근시인’ 검색하면 영상시 나오고
인스타그램에 찾아보면 나의 생활이 나오고
종로의 듬직한 일꾼이란 블로그까지 있다.

불리고 싶은 호칭이 있다면‘시인’으로‘작가’로
내가 나에게 붙인 별명이‘지각생’이라고
시작이 늦더라도 노력하면서 열심히 살리다
'지각생이라도 좋다' 최선 다하여 노력하자.

지금은 초보 시인작가 이지만...
인터넷에 ‘이상근’검색해 보여드리고
유튜브 검색창에 ‘이상근TV’ 검색하고
두 분을 기쁘게 해드리고 싶은데...
아버지는 왜 일찍 현충원에 가셨어요.
어머니도 정신 놓고 영감님 따라가시고
아버지 어머니는 기다려주시지 않네요.

01 **이름의 비밀** 1950년

나의 아명은 '헐생'이다. 외갓집에 갔을 때 '헐상아' 하고 불렀고 어릴 때 친구들도, 진 외갓집에 갔을 때도 헐생 이로 불렸다. 그래서 내 이름이 헐생이 인줄로만 알았다.

초등학교에 입학했을 때 선생님께서 내 이름을 '이상근'이라고 부르셨고, 어머니가 그렇다고 했다. 그제야 관명이 '이상근'이라는 걸 알았다.

중학생 때도 그렇게 불렸는데 '헐생'이라는 이름이 무슨 뜻을 가졌는지 어머니 아버지에게 물어보아도 미소 띤 얼굴로 고개만 설레설레 흔드셨다.

"그럼 헐생이라고 어느 분이 지어셨는지요" 물어보고 또 물어보아도 대답은 웃으면서"왜 그렇게 불렀는지 모르겠고 잊어버렸어." 나의 나이가 육십 중반이 넘어 아버지 현충원에 가시고 엄니 팔순 넘었을 때 어머니가 치매 오기 직전에야 말했다.

할머니의 친정집에서 너의 이름을 지어오셨다고, 말씀하셨다. 어머니가 초산이라서 산고에 무척 많이 시달렸으리라고 짐작해 본다.

내가 다리에 피를 조금 묻히고 태어났다고 해서,' 혈생' 이로 태어난 것을 '헐생'이로 부른 것이다. 어머니는 내가 종로구의원이 되고 나서 이제는 말해도 되겠지 "지금부터는 너에게 별일이 없을 것이다."

피를 묻히고 태어났으니 험난하게 살 것이라는 민간의 속설 때문에 어머니는 육십년을 넘게 첫아들의 안일을 위해서 모른다는 말로 되풀이했던 것이다.

04 **나는 3대종손팔촌에 형님** 1953년

나는 3대 종손 6남매의 맏이로 태어났다. 형이나 누나를 찾으려면 8촌에까지 가야 했다. 호적은 1950.3.3.生(실제1949.1.23.生)

증조할아버지께서 운영하시던 물레방앗간에서 어머니와 함께 더부살이로 살았다. 내가 말이 늦게 틔었는가 보다 5살 때에 '아바'란 말을 했다고 하니 증조할아버지께서 '저놈 벙어리는 안되겠구나'라고 하셨다고 한다.

증조할아버지의 뒷머리를 밀어 올려서 일어 켜 드린 기억과 파란 고무신을 물레방아 밑으로 잃어버려서 찾아다닌 기억이 난다.

아버지는 늦게 육군에 가셨는데 6.25전쟁 중에 전사통지서가 나왔다. 할아버지 할머니 식구들은 양산시 원동면 어영동으로 숯을 구우려 가시고 같이 살지 않았다.

증조할아버지가 몸이 아파 돌아가시기 전부터도 어머니를 쫓아 내보내기 위하여 삼촌은 행패를 부리며 방앗간에 불을 지른다고 방구들을 파고 종조할머니는 나를 업고 말리는 척을 하였다.

증조할아버지가 노환으로 돌아가시고 빈소를 물레방앗간에 설치했었는데 어머니도 모르게 종조할머니가 옮겨갔다.

물레방앗간을 두고 가족 간에 재산 싸움을 벌여서 심하게 다투는 것을 보았다. 나중에 아버지는 살아오셨는데 전쟁 중이라 전사통지서는 오보였다. 아버지가 살아오셨을 때 물레방앗간은 종조할머니와 삼촌이 차지하고 있었고 종조할머니 집에 나이 어린 내가 갔을 때 증조할아버지 빈소가 차려져있었다.(1952~4)

05 2~3년 후 출생신고 6살 취학 전 1954년

아기가 태어나서 2~3년 후에 출생신고를 하였던 것 같았다. 3살 어린 남동생이 있었는데 전염병(홍진, 홍역)에 희생이 되었다. 그때는 전염병이 돌 때는 한동네에 3~4살 되는 어린이 10여 명이 하루 이틀 사이에 쓸려갔다.

다음 해 둘째 남동생이 태어나고 또 폐렴으로 병원에 갔다 아버지 어머니가 병원에서 하룻밤을 꼬박 새우고 다음날 동생을 업고 오셨다. 그때 병원비를 못 주고 가을 타작을 하고 난 이후에 병원에서 병원비를 받으려 왔을 때 이웃사람들은 너의 외삼촌이냐고 물었다.

그런 일이 있고 나서 아버지는 나무로 어린이용 세발자전거를 나에게 만들어주었다. 핸들과 페달을 나무로 만들고 앞바퀴는 큰 통나무를 잘라서 만들었다. 지금 세발자전거와도 흡사 같은 모양이었다.

두메산골 골짝이었는데도 뻥튀기 장수가 기계를 지게에 짊어지고 와서 나무불을 피우고 손 풍로를 돌리고 뻥튀기를 하면 할아버지들은 신기하여 뻥튀기 기계 속을 들여다보고 물이 안 나오는데 어떻게 튀겨 나온다고 재미있어했다.

06 학교들어가기 전에 1955년

초등학교 들어가기 전 나의 온몸에 부스럼이 나서 근지러워서 괴로워하면 어머니가 소리쟁이라는 약풀 뿌리를 삶아서 씻겨준 기억이 난다. 또 병원에 갔는데 오일장 면소재지 장터에 있는 길거리 병원이었는데 거기서 생전 처음으로 지금의 라디오 같은 것을 보았다.

라디오가 어린 나를 보고는 부스럼 부스럼 하면서 무슨 약을 바르라고 하는데 그 소리를 듣는 순간 그렇게 신기할 수가 없었다. 그 기계가 나를 보고 부스럼에는 무슨 약을 발라라고 하다니, 그때 의사선생님은 청진기를 목에 걸고 이마에는 머리띠 거울을 쓰고 책상과 의자가 전부인 길거리 난전에서 진료를 보는 것이었다.

지금 돌이켜 생각을 해보면 산내면 송백리 팔풍 장터에서 초가집 병원이라서 길거리 훤한 데로 나와서 의사선생님이 진료를 해준 것 같았다. (1955년경)

8촌 상덕이 누나가 학교에서 가루 분유를 배급받아온 것을 상길이 친구와 나누어 먹고 온몸에 두드러기가 나서 혼이 난 적이 있다. 내 몸에 두드러기가 나면은 참나락 짚단에 불을 살짝이 붙여서 끄고 그 지푸라기로 나의 발가벗은 몸을 아래위로 훑어 내렸다.

그 이후에는 4발이 달린 육미(돼지, 염소, 토끼. 소, 우유까지) 고기는 전부 먹을 수가 없었다. 그런데도 그때는 육미 고기가 귀할 때라서 어쩌다 보기만 하면 먹고 나서 또 두드러기가 나면 어머니에게 혼나기를 반복하였다. 중학교 졸업여행 갔을 때도 경북대학교 구내식당에서 소고기국밥을 먹고 온몸에 두드러기가 났다.

고등학교 다닌다고 객지로 나갔을 때는 우유도 먹고 돼지기름덩이를 김치찌개에 끓여서 먹어도 괜찮은 것 같았다. 늦게부터 육고기를 먹기 시작하여서 그런지 지금은 야채 음식보다는 육고기 음식을 좋아하는 체질인 것 같다.

07 **8살에 학교입학 상근이로** 1956년

8살 때 초등학교에 들어갔다. 그 시절에는 학교를 안 다니는 아이들도 종종 있었고 3~4년 늦게 입학하는 일도 흔했다. 10살이 넘어서 학교에 입학하는 일도 많았다. 나의 막내 고모는 나보다 한 살 위인데도 무학으로 학교를 가지 않고 동네에서 청년들이 야학을 운영하여 거기서 한글을 깨우쳤다. 지금도 고향에서 농사를 짓고 살고 있다.

농사지으며 사는 것이 나쁜 것은 아니지만 할머니의 몸을 빌어서 태어났더라면 초등학교도 못 갔을 지도 모르는데, 그러고 보면 나는 행운을 타고난 셈이다. 젊은 어머니의 몸을 빌어서 태어났으니 초등학교 중학교 실업고등학교 공부를 시켜주었고, 나중에는 만학으로 대학교와 대학원까지 졸업했으니 …

홀씨가 어디에 떨어지느냐에 따라서 꽃을 피울 수도 있고 좋은 씨앗을 맺을 수도 있고, 본인의 노력 여하에 앞날이 판가름 나게 되는 것 같다. (1956)

처음 학교에 갔을 때 교장선생님은 얼굴이 많이 얽은 백 교장선생님이고 담임은 이균석 선생님에 1학년 1반이었는데 3반까지 있었다. 면 소재지 학교라 1,000여 명이 되었다.

교실에는 칠판에 단기 4289년 4월 00일 0요일이라 적혀있었고 5월 5일 어린이날에는 큼지막한 사탕도 2개씩 나누어주었다. 어떤 때는 우유가루를 나누어 줄 테니 봉투나 그릇을 가지고 오라 한다.

학교 소사 아저씨와 선생님은 종이 드럼통 같은 데서 작은 됫박으로 한 됫박씩 우유가루를 나누어 주면 꺼려서 먹을 줄도 모르고 우유가루를 물에 반죽을 하여 밥하는 밥솥에 쪄서 먹으려면 노랗게 익어서 딱딱한 동그랑땡이 되어 오래도록 갈까 먹으려면 시간도 오래 걸리고 맛도 좋았다.

겨울 추울 때는 학교 교실에서 난로를 피우는데 장작개비를 1개씩 가지고 가면 나뭇가지로 선생님은 난로 불을 피워 주셨다. 아버지가 산토끼 털로 귀마개도 만들어 주셨다.

07 **할아버지와 합가하다** 1956년

할아버지와 살림을 합가하다 내가 초등학교 들어가 1학년 때까지는 어머니가 도붓장사 나가고 송아지도 한 마리 싸셨고 논도 한 마지기 더 싸셨고 아버지는 적은 농사일 이지만 무척이나 행복하게 살았다.

그런데 초등학교 1학년 가을학기 때 멀리서 살고 계시는 할아버지의 막내(삼촌 19세) 아들이 요절하는 바람에 양산군 어영동(산촌 숯을 굽는 곳)에 거주하시는 할아버지를 밀양 임고리로 아버지가 모시고 살게 되었다.

할아버지 할머니 큰고모 막내 고모(10살) 8식구 대가족이 되었다. 농사는 적어서 양식이 없어서 밥을 못했다는 말을 듣고 삶은 감자를 학교에 싸간 적이 있다. 월사금을 못 내서 학교에 쫓겨서 집으로 오면 초등학교 2학년인데 아버지는 학교를 가지 말란다.

할아버지는 평생을 알코올중독자로 살아오시면서 집안에서는 하루도 싸우지 않는 날이 없었고 어머니도 도붓장사를 나가지 아니했다. 내가 2학년 말기에는 할아버지가 술을 많이 마시고 며느리가 지은 밥은 아니 먹는다고 술에 취하여 곡괭이로 밥솥을 파 뒤집었다.

할아버지가 술 취하여 들어오는 날에는 장독대가 박살나고 할머니는 말리시고 나이 어린 나는 이웃집 할아버지께 말려 달라 애원하였다.

할아버지의 술주정과 집안의 가난으로 무척 많이 다투시면서 일 년을 살았다. 그리고 2학년 말에 아버지와 우리네 식구는 외갓집이 가까운 동네 40리 밖으로 추운 날 달밤에 이사하는 모습이었다.

아버지는 우리들 짐을 챙기시어 개천가 둔덕에서 밤을 새우시고 넷 살 된 남동생은 어머니가 등에 업고 나와 같이 외갓집으로 걸어서 사십 리(16km) 길을 가고 있었다.

통나무를 나르는 빈 트럭이 한 대 지나가는 것을 보고 태워달라고 사정을 하여 태워주려고 화물차를 세웠는데 세웠다가 다시 갈려니 화물차 시동이 안 걸려서 차 조수 아저씨는 개울가에서 물을 떠와서 화물차 앞에서 꺾쇠 핸들을 돌리고 운전사 아저씨는 시동을 걸고 몇 차례 하여 시동이 걸렸다.

어머니와 내가 밤중에 외갓집에 도착했을 때는 전부다 잠자고 있어서 어머니는 외갓집 안을 향하여 큰소리를 지르고 돌을 던지고 하여 깨웠다

외갓집 식구들을 깨워서 우선적으로 그 지역 근방에서 말이 끄는 우마차 1대를 아버지한테 보내야 했다. 외갓집에서 밤을 보내고 다음날 외할머니와 나는 강을 건너 오리(2km)를 걸어갔다.

원래 살던 곳은 산내면 임고리 바이동 이였는데 외갓집은 산외면 다원이었다 우리가 가는 곳은 단장면 사촌이었다. 사촌부락에 갔을 때는 아버지가 장롱과 작은 동솥을 하나를 가지고 와서 오두막집에서 일을 하고 있었다.

다음날 이사한 곳이 단장면 미촌리 사촌부락이었다.

08 학교회비2백환(현재20원)못 낸 학생 1957년

학교 회비 2백환(현재20원)을 못 낸 학생으로 수업은 안 시키고 학교에서 회비 가져오라고 집으로 되돌려 보냈다. 선생님은 학교 회비를 가져오지 않으면 학교에 오지 말란다. 그 말씀을 그대로 아버지께 말씀드렸는데, 아버지는 그럼 학교 회비가 없으니 학교에 가지 말라고 하신다.

산내국민학교의 학생 수는 980여 명 정도 되는 것 같았다. 면 소재지 학교라 각 학년에 3개 반씩이었고 우리 반 학생 수도 60명이 넘었다. 1학년 때 담임은 이균석 선생님이었는데 우리 담임선생님의 할아버지께서 산내국민학교를 지어셨다고 들었다.

우리 집에서 학교를 가려면 3km 정도 걸어가야 하는데 그 길목에 이균석 선생님댁이 있었는데 그 집 앞에는 산내국민학교를 지어신 할아버지도 나와서 계셨다. 우리 학생들은 할아버지가 돌아서 계셨어 무얼 하시는데도 뒤에서 학생들은 다들 인사를 드리고 앞으로 간다.

내가 2학년 2학기 초에 학교를 갔는데 우리 학교를 세우신 할아버지께서 돌아가셨다고 선생님이 말씀하신다. 그러니 내일 학교 오면서 그 초상집에 학생들도 부조를 성의껏 해야 된다고 담임선생님께서 말씀하셨다.

집으로 와서 아버지와 할머니께 말씀드렸는데, 할머니는 산비알 부추밭에서 부추를 베어 와서는 내일 학교갈 때 부추를 초상집에 가져다드리라고 해서 다음날 학교 갈 때 부추를 초상집에 갖다 드렸다. 할아버지께서 산내초등학교를 세우셨다는 걸 다 알고 있었기에 우리 학생들은 그 앞을 지날 때는 공손히 인사를 드렸다.

08 2학년말에 전학 안법3학년으로 1957년

2학년 말에 산내 국민학교에서 안법 국민학교로 갑자기 전학하였는데 그때 이사 온 곳이 단장면 미촌리 사촌부락이었다. 이사 온 곳에 있는 안법국민학교는 학생 수가 350여명 정도로 학년마다 60여명되어 먼저학교보다는 아주 적은학교였다. 3학년에 들어갔는데 그때 담임이 한정길 선생님이었고'가분수'라고 별명을 붙여주었다.

우리 집은 무척 가난하여 어머니는 다시 도붓장사 나가시고 아버지는 남의 집 날품 일을 매일매일 하셨다. 친구들은 가난한 집 아이라고'똥 바리 대장' 소대장 골라잡아 십오전이라면서 놀려댔고 따돌림 시켰다.

오두막집은 가난한 집이고 전학 온 아이라고 3학년 친구들이 놀려 될 때, 나보다도 작은 1학년 아이들까지도 자기 형들의 후원을 받아서 3명씩 때를 지어서 나를 괴롭혔다.(1958-61)

저녁이면 이웃 잘 사는 집에 아저씨가 아버지께 내일 자기 집에 일을 해달라고 하신다. 그러면 아버지께서는 일이야 날품 삯을 주는 데면 다해 줄 수 있는데, 남동생과 나를 가리키면서 이 자식들 밥 때문에... 하시고 말끝을 흐린다.

그러면 그 아저씨는 이 애들이 먹으면 얼마나 먹을라고 애들아 너희 두명다 내일 아침부터 저녁까지는 자기 집으로 와서 밥 먹어라. 하시면 그때 아버지께서는 품삯 일을 해주겠다고 대답하신다. 우리2형제는 사촌부락에 있는 여러 집의 밥을 얻어먹고 자랐다.

4학년 때쯤인가 그때는 저녁에 아버지가 밥을 해놓고

다음날 남의 집일을 가시면, 우리 2형제는 그 밥을 하루 종일 점심시간도 저녁시간을 가리지 않고 아무 때나 밥을 먹었다.

5학년 때부터는 밥하는 것을 배워서 내가 보리밥도 할 줄 알고 저녁에는 갱죽(싱거운 김치죽)도 끌일 줄 알아서 동생들의 밥을 해결하였다. 6학년 되었을 때는 저녁때가 되면 어머니가 도붓장사 나간 방향으로 마중을 나갔다.

그때 어머니는 보리쌀이나 잡곡을 30~40kg 그 위에 화장품 보퉁이를 머리에 올려서이고 오신다.

그때는 포장이 안된 길을 고무신을 신고 하루 종일 걸어 다니셨으니 저녁에 어머니 발바닥을 보면 나무껍질같이 갈라져 있는 것을 본 기억이 난다. 어머니는 그렇게 고생고생하면서도 학교 다니는 나에게는 아낌없이 돈을 써셨다.

다른 친구 학생들은 책보자기에 고무신을 신고 다녔는데, 어머니는 책가방도 싸주고 운동화에 신겨주시고 옷도 검정 학생교복으로 입혀주었다. 그러나 힘센 친구들이 공을 차야 한다면서 운동화를 빌려 달라 하면 반항 한번 못해보고 운동화를 빌려주었다. 그러면 운동화를 돌려 받을 때는 내 운동화는 땀에 젖어있었다.

그때 당시에는 초등학교 때 전학 다니는 일이 그의 없다시피 하여서 가난한 집 아이고 힘이 모자라고 순한 아이라고 따돌림을 당하고도 말을 할 수가 없었다.

09 **3학년말에 잡부급 못내 쫓겨나** 1958년

3학년 연말에 잡부금을 못 냈다고 교실에서 한정길 담임선생님에게 교실을 쪼겨 나서 울면서 나왔다. 이것을 본 옆방 교실에 6학년 담임 장동재 선생님께서 창문으로 보시고 울면서 가는, 나의 잡부금 못 내고 쪼겨난 사정 말씀을 듣고 난 후에는 나에게 잡부금 낼 돈을 내 손에 쥐어주시면서 내일 학교에 와서 잡부금을 내라고 하신다.

한정길 선생님은 우리학교 한성학 교장선생님의 아들이었고 한정길 선생님의 여동생 한선희는 3학년 우리반이였다. 3학년이 끝나고 4학년초에 한정길 선생님과 한성학 교장선생님은 다른 학교로 전근을 가셨다.

10 **장동재 선생님은** 1959년

그 후 장동재 선생님은 우리 4학년 담임 선생님이 되셨는데 수업을 조금밖에 못하시고 육군에 입대를 하셨다. 학교 앞에서 환송의 노래로 '아침 바다 갈매기는 금빛을 싣고 고기잡이배들은 노래를 싣고 희망에 찬 아침 바다 노 저어 간다'를 불어드렸다. 그 후에는 이달령 선생님이 오셨다.

2년의 세월이 지난 뒤에 장동재선생님은 우리 사촌부락에 오유망댁의 나이가 많은 28세 노처녀에게로 장가를 오셨다. 그 시절에는 20세 전후에 시집을 보냈는데 시집 못 간 노처녀였다.

십여 년이 흐른 후에 내가 21살이 되어 서울에 와서 충무로에서 장동재 선생님을 만났다. 선생님께서는 퇴직하여 처갓집의 영화사 일을 보시고 계셨다.

10 **4년말 교훈급훈대신 이승만 글짓기** 1959년

4학년 말기에는 학교 교실 앞에 급훈보다는 '리승만박사 대통령후보 이기붕선생 부통령후보'라고 붓글씨를 크게 써놓어셨다. 이달령 선생님은 리승만박사 대통령후보에 대하여 학생들에게까지 글짓기를 시키셨다.

그리고 이승만 박사는 신사라고 하시고 신사는 양복만 입었다고 신사가 아니고 품위를 갖추어야 모든 것 갖추어야 신사라고 하셨다.

그러면 우리들은 '이승만 박사 대통령후보님은 신사입니다' 만 쓰고 기다린 각이다.

11 **5학년 때- 4,19의거** 1960년도

그리고 5학년초에 박재권 선생님이 담임으로 오셨고 4.19데모가 일어나고 소문에 의하면 서울에서 대학생 몇명이 밀양으로 데모를 주도하여 경찰서장을 앞세워 국회의원 집을 박살냈다는 소문을 들었다. 이승만대통령은 미국 하와로 망명을 떠나고 이기붕부통령 가족은 아들 이강석의 권총자살로 끝났났다. 그 후로 민주당 정권이 수립되었다.

12 **6학년 때- 5,16혁명** 1961년

6학년 때도 박재권 선생님은 6학년 담임으로 오셨고 6학년 초에 또 5.16혁명이 일어났다고 하시면서 학생들에게 혁명공약을 전부다 외우라고 하셨다. 혁명공약을 6개항목 전부를 외어야 집에 갈 수가 있었다.

선생님들은 안녕하십니까? 인사 대신에 재건합시다. 로 인사했다. 혁명정부에서 규율을 잡는다고 깡패를 소탕하고 축첩을 금지하고 군복무를 마치지 아니한 사람을 색출하였다.

12 초등6학년때 중학교입학시험 1961년

6학년 때에는 중학교 입학시험이 있을 때이므로 5학년 때 담임 박재권 선생님이 6학년 담임으로 오셨다. 중학교에 많이 입학시키려고 학교 정규 수업 외에도 담임선생님과 진학할 수 있는 학생만 남아서 과외수업을 하였다.

밀양군 교육청에서 장학사가 시골학교인 안법 초등학교까지 감사를 온다고 해서 교장선생님께서는 장학사가 오는지 망을 보시다가 학교에서 과외수업을 하지 말라고 하셨다.

농촌 가정실습 시기에는 남치원 학생의 개인 집으로 가서 가정실습시간도 공휴일도 없이 담임선생님은 학습 수련장을 가지고 진학할 학생들과 과외수업을 하였다.

6학년 초기에 이성언 학생은 밀양읍으로 유학을 떠났다. 과외수업까지 하여 밀양중학교에 시험을 쳐서 6명 지원하여 4명은 합격하고 2명은 불합격하여 가까이 있는 홍제중학교로 12~3명이 진학한 것으로 기억된다.

박재권 담임선생님은 학교 수업은 성의 있게 잘 가르쳐 주셨다 그런데 초등학교 동기생 모임을 밀양에서 1년에 2회 정도 하고 있다. 5~6학년 담임선생님이면 당연히 찾아 뵈어야 하는데도, 여학생들의 반대에 부딪친다. 그 선생님

부르면 여학생들이 한 명도 안 나오겠다고 한다.

6학년 교실에서 신체검사가 있었는데 남녀 학생들 상의를 다 벗겨서 몇몇 여학생은 가슴이 커서 벗지 않으려고 할 때도 박재권 선생님은 여학생을 때려서 벗겼다. 가슴이 큰 여학생은 남학생에게 부끄러웠을 것이다.

나는 13살이었지만 나이 더 많은 여학생의 봉긋한 가슴도 보았다. 어떤 때는 시냇가에 나가서 남학생은 아랫물에서 목욕을 하라 하고서 윗물에서는 여학생들을 목욕하라 하고 선생님은 작은 언덕 위에서 구경한 것을 지금도 동기생들은 이야기한다.

13 **중학교에 들어갔다** 1962년

중학교에 들어갔다. 우리 고향에서는 그때 당시 중학교 진학률이 40% 정도도 못 되는 것 같았다. 아버지께서는 (무학 글 모름) 논밭도 없고 매일매일 날품팔이 일을 하면서 아들을 중학교에 보내는 것이 겸연쩍으셨는지 동네 사람들에게 나를 가리키면서, 저놈 그냥 놓아두면 자기 이름자도 잊어버릴 것 같아서 중학교를 시킨다고 하셨다.

우리 집에서 가까운 홍제중학교에 들어갔을 때 1학년 때는 오종목 담임선생님이 귀여워해 주셨지만 못사는 집 아이라 항상 기가 죽고 풀이 없는 학생 이었다.

어머니는 4각 보퉁이 장사를 하면서도 자식은 무조건 공부를 시켜야 된다고 생각한, 소학교 출신 문명인 이였다. 집안이 가난하여 고등학교에는 진학할 형편이 아니었는데 어머니(소학교 졸업)의 교육열에 후원을 받아서 아버지께 졸랐다.

초등학교 졸업하고 중학교 진학률이 40% 정도이었는데 중학교에서 고등학교 진학률은 또 40% 미만이다. 고등학교를 가려면 밀양 도시로 유학을 가야 하기 때문에 최소한 밀양 시내로 도지방(10달 월세 선금)을 구해서 자취를 하거나 집안 형편이 좋은 학생들은 하숙을 하여야 하기 때문에 고등학교를 진학한다는 것은 웬만치 잘 사는 집에서도 고등학교를 시키는 것은 힘든 일이었다.

13 **화폐개혁 62년6월10일에 환-원** 1962년

우리집 논에서 모내기를 하고 있을 때 화폐개혁이 되었다고 현금 있는 것은 모두 신고하여 구권은 신권으로 바꾸어야 된다는 것이다.

혁명정부에서 고리채정리와 잘사는 사람과 못사는 사람의 평준화시키고 자금이나 현금이 흐르는 길을 알아 암거래를 없에고자 갑자기 행한 극비의 정부행사였다

14 **중학생들의 스트라이커** 1963년

중학생들의 스트라이커는 선생님이 한꺼번에 많이 바뀌시네 중학교 2학년이 되어서 학교를 갔는데 오종목 국어

선생님과 이자걸 수학선생님이 정말 잘 가리켜 주셨는데 한문 선생님과 박병수 교장선생님이 4분이 같이 그만둔다는 인사도 없이 물러나시었다.

새로 오신 선생님은 김춘복 국어선생님 김성용 수학선생님 노장현 자연과학선생님 허직 교감선생님 네분이 새로 부임하셨다. 며칠이 지난 후에 3학년 박강호, 백사종 학생 주도하에 1,2,3학년 전교생이 수업을 거부하고 스트라이크가 일어났다.

전교생180여 명이(3명제외) 한꺼번에 수업을 거부하고 교실에서 뛰쳐나가 가까운 헛 광산으로 올라갔다, 3학년 몇몇 학생의 주도로 오종목. 이자걸 선생님이 학교로 복귀할 때까지 전부가 등교하지 말자고 약속을 하고 집으로 돌아갔다.

2일이 지난 후 무조건 학교로 나오라는 연락을 받고 학교로 갔는데 교문 입구에서 박강호. 백사종 3학년 선배가 교문 입구에서 왜 책가방을 안 가지고 왔느냐는 것이었습니다. 운동장에는 김춘복 선생님과 학생들이 처음 보는 길쭉하게 생긴 럭비공을 발로 차고 있었다.

먼저 인사도 못하고 물러나신 선생님들은 교사자격증이 없이도 잘 가르치던 선생님이라고 했다. 5.16혁명이 일어나고서 질서가 잡혀가는 과도기였다. 그때 자격증이 없는 사람. 축첩을 둔 사람. 병역의무를 하지 않은 사람. 전부가 쫓겨나가는 시기였다.

15 중학생인데 철이 들었나 1964년

2학년 3학년 때는 노(장현) 선생님은'이의원'으로 별명을 붙여주셨고, 그러고는 이의원 잘 돼가나 하고 격려해 주셨다. 선생님의 격려로 어린 마음이지만 한 동네에 사는 여학생이 나를 뚱발이 대장이라고 놀려 될 때는 그래 지금은 나를 놀려라 그러나 나중에는 뿡발이 대장이 아닌 진짜 대장이 되겠다는 미래의 꿈을 가지게 되고 희망을 가지게 되었다.(1962~4)

중학교 3학년 때는 내가 커서 육군사관학교를 가서 장군이 되겠다는 꿈도 가지게 되니 뚱발리 대장이 아닌 장군이 되고픈 생각이 났다. 우선은 고등학교를 가야 되겠다는 생각에 아버지를 무척 많이 졸라서라도 고등학교를 꼭 가고 싶었다.

중학생인데 철이 들었나 2~3학년 담임은 박성용 선생님이었다. 수학을 가르쳐 주셨는데 교사 선생님들 중에서 대학원 석사 출신이라서 교사자격증에 제일 좋다고 들었다.

3학년 때 졸입여행을 가기로 되어있는데 나는 처음부터 가지 않는다고 했다. 가을 타작하는 무렵이었는데 저녁밥 먹고 나서 아버지 어머니께 내일은 학교에 안 가고 일할 것이라 했다.

내일부터 3일간은 3학년 친구들은 졸업여행을 떠난다고 하면서 집안일을 돕겠다는 나의 말에 아버지는 마음이 아프셨는지 '3일간 대구로 해서 경주 불국사 부산으로 갔다 오는데 졸업여행경비가 얼마냐'물어 보시 길래 700원이라고 말씀드렸다.

어머니 보고'전포댁이 집에 가서 돈 700원을 꾸어다 주라'고 하신다. 어머니도 남의 집에 가서 돈 700원을 꾸어 오셔서'졸업여행은 커서도 평생을 이야기할 것인데 잘 다녀오라'고 하신다.

다음날 아침 6시쯤에 졸업여행 출발지로 금곡 버스정류장에 날도 밝지 않을 때 제일 먼저 나갔다. 담임선생님은 '일마 이거는 계속 안 간다 카더니 제일 먼저 나왔어' 하신다.

중학교 졸업여행은 밀양역을 출발하여 대구 방송국을 갔는데 남녀 아나운서가 5명이 있다고 설명하면서 효과음 내는 작은 대문도 보았다. 경북대학교에서 3갈래로 갈라지는 분수도 구경하고 대학교 구내식당에서 처음으로 소고기 국밥을 맛있게 먹었다. 열차를 타고 영천을 거쳐서 경주로 가는 동안에 온몸에 두드러기가 나서 가려워서 혼났다.

여행 2일째는 캄캄한 새벽에 석굴암이 있는 토함산에 올랐다. 동트기 전에 석굴암 앞에서 스님이 설명을 잘해 주셨다. 불국사 경내에 모셔진 부처님은 개금이 안 되어서 녹이 쓴 곳도 군데군데 보였다. 분황사 벽돌탑은 수리가 안 되어서 허물어져 남은 그대로 보았다. 안압지와 첨성대 포석정 여러 곳을 구경하였는데 지금과는 다른 점이 많았다.

여행 3일째는 부산 영도다리가 12시 시간에 맞추어서 덜리고 다리가 90도 각도로 세워졌을 때 큰 배들이 지나가고 있었다. 자갈치시장도 구경하였는데 시장 바닥에 자갈이 저벅저벅하였다. 신문사도 구경하고 여러 곳을 다닌

기억이 난다.

3일간을 바쁘게 구경 다닐 때는 정말 좋았는데, 집에서 밥을 먹을 때는 온 방안이 끄덕끄덕 흔들리고 열차를 타고 계속 가는 것 같은 느낌이다.

16 **밀양 실업고등학교에 들어가** 1965년

고등학교에 들어갔다. 그토록 바라던 고등학교는 갔는데 학비 때문에 사립 인문 고등학교를 못 들어가고 수업료가 절반인 공립 실업고등학교를 갔다. 내가 재주가 없었는지, 너무 가난하였기에 공부가 잘 안되어서 방황을 한 적도 있었다.

실업고등학교를 다니게 되면 인문 과목을 50% 실업 과목을 50% 공부를 하게 되는데, 실업 과목을 제쳐 놓고 인문 과목만 공부할 수가 없게 되어 있었다. 전체 과목 평균 성적이 60점 미만이거나 40점 미만 과락이 3과목 이상 나오면 낙제 제도가 있었다.

1학년을 마치게 되면 낙제생이 몇 명이 되고 2학년 마치게 되면 또 낙제생이 몇 명 되어서 다른 이웃 고등학교로 전학을 가는 것을 보았다. 그래서 실업 과목도 소홀히 할 수 없기에 공부를 하여보면 과학적인 영농방법으로 하면 더 빠르게 출세할 수 있겠다는 생각도 났다.

우리 집에서 논이 10마지기만 넘어도 담보대출을 하여 뽕나무 묘목사업을 하면 부자가 될 수 있겠다 싶었다. 그때 당시에도 지금과 같은 귀농사업 시스템이 있었더라면 고등학교 졸업하고 상경하는 일이 없었을 것이다.

밀양 실업고등학교에 다닐 때는 공납금을 못 낼 경우 2~3학년 담임 이성환 선생님(평교사에서 교수, 대학교 총장까지 되셨다) 월급에서 대납을 하고 나중에 갚아 드렸다. (1966-7)

육군사관학교를 가려면 인문계 고등학교를 가야 되는데 공납금이 절반 정도밖에 안 되는 공립 실업고등학교를 갔기에 공부에서 조금 멀어지기 시작했다. 집안이 너무 가난하기에 정신이 모아지지 않는다는 핑계로 방황한 적도 있었다.

실업 과목 선생님들은 수업 시간에 어떻게 하면 짧은 시간에 농업으로, 돈을 벌 수 있는가를 강의하는데 귀가 솔깃한 게 사실이었다.

실업(잠업과) 고등학교를 졸업하고 국가에서 장려하는 뽕나무 육묘사업을 하려면 그때 당시에는 담보물이 있어야만 했다. 지금같이 귀농하여 영농교육을 받는다면 지도하여 주는 상담소나 영농 입지조건에 따라 여러 가지 혜택이 있는 반면 1967년도에는 지금과 같은 시스템이 없었다.

그 당시에도 선진국(영국) 같은 나라에서는 농과대학을

나와야 농토를 가질 수 있고 정부 혜택도 주는 것으로 알고 있었다.

16 **밀양읍 오두막집 부엌방에서 자취** 1965년

밀양 시내 오두막집 부엌 쪽방에서 자취를 시작했다. 같은 동네 친구 박영호와 같이 방을 얻어 자취를 하게 되었다. 주인집 어른은 엿장수 겸 고물장수를 하시는 분이었고, 아주머니는 밀양 경찰서 옆 좁은 길에서 함지박 노점을 하시었는데 양파나 물 오이 도마도를 팔았다.

자취방 친구 박영호와 처음에는 솔가지 땔나무 한 짐을 구입하여 아침저녁으로 주인집 아주머니와 같이 좁은 부엌에서 밥을 해먹으려니 여간 불편한 것이 아니었다.

그래서 생각한 것이 전기 곤로를 구입하여 도둑 전기로 밥을 해먹는 것이었다.

전기선에도 일반선과 특선이 있었는데 우리가 세 들어 사는 집은 일반선이었다. 일반 선 전기는 저녁 7시부터 다음날 아침 7시까지 전깃불이 오는데 방에 밤새도록 불이 들어온다. 부엌 안 쪽방에서 주인집 방 사이에 벽에 구멍을 뚫어 놓고 전구 하나를 켰는데 그러면 양쪽 방이 환해지는 형이었다.

전깃불 하나로 양쪽 방을 밝히는 백열등 전구 하나에다 전지 소켓 2개를 꽂아놓고 친구와 따로따로 밥을 짓고 있으니 그 전등만 불빛이 약한 것이 아니고 이웃집에까지 불빛이 약하다고 이웃집에서 한국전력 밀양 영업소에다 도둑 전기를 쓴다고 신고를 하였다.

한국전력 감시반 직원들이 왔다고 주인아주머니가 알려주었는데 친구는 뜨거운 전기 곤로를 밖으로 잘 숨겼는데 나의 전기 곤로는 발각이 되어 다음날 한국전력 밀양 영업소로부터 벌금을 물었다.

17 **나무에 석유곤로 연탄불에 자취 밥** 1966년

나무 한 짐을 구입하여 땔나무로 밥을 지으려니 불편하고 이제는 석유곤로를 구입하여 밥을 지어 자취를 하였다. 혼자서 자취를 할 때는 알코올 호롱불에 밥 한 그릇을 지을 때도 있었다.

겨울 추울 때는 연탄불을 피워서 밥을 해먹을 때도 있었지만 겨울인데도 석유곤로로 밥을 하고 냉방에서 잠을 자기도 하였다.

일요일 오후면 어머니가 하루나 김치를 담그거나 콩장을 만들어서 일주일간 먹으라고 마련해 주면 저녁에 간식이 없고 배고픔으로 인하여 반찬거리를 그날 저녁에 간식으로 다 먹어버리고 4~5일간을 간장 고추장에다 보리밥을 비벼 먹는 일도 있었다.

그러다가 토요일 오후에 시골집에 가면 몇 달을 살다가는 느낌이었다. 어머니가 김치를 꺼내 썰기라도 하면 그냥 그대로 입안에 침이 잔뜩 돌아서 침을 삼킨다.

19 **68년 5월 서울에 상경하다** 1968년

1968년도 5월 8일 서울에 상경하다 어렵게 고등학교를 졸업한 이후 집에서 있으려니 부모님 보기나 동네 사람 보기도 눈치가 보였는데 서울 계시는 외삼촌한테서 상경해 보라는 편지가 왔다.

청운의 뜻을 품고 밀양에서 서울로 떠나올 때 어머니께서는 첫째로 공부를 해야 하고 둘째도 공부를 해야 한다고 다짐을 주셨다. 서울행 야간열차를 타고 아침에 영등포역에 내려서 외삼촌을 찾아갔다. 외삼촌의 소개로 '불이화학 압출기' 공장에 다녔다.

12시간 맞교대 근무하면서 잔업(3시간)까지 하고 출퇴근 2시간 하면 하루에 잠자는 시간은 6시간도 잠자기가 힘들었다. 한 달 하숙비(3500원)가 겨우 되었다. 한 달에 둘째, 넷째 일요일에 목욕이나 이발을 하려면 쏟아지는 잠을 못 참아 이발사를 무척이나 힘들게도 하였다.

서울 생활이 어려울 거라고 암시를 주었는지 첫 월급(3680원) 탄 돈이 내가 잠자는 사이에 없어졌다. 외삼촌의 기지로 우여곡절 끝에 찾긴 찾았는데 벌써 3일이 지나 돈을 훔쳐 간 아이는 어느 정도 써버린 상태라 나는 돈을 구경도 못했다.

외삼촌의 말씀은'상근이 너는 첫 월급을 잊어버렸으니 월급쟁이가 안 맞을는지 몰러겠다'고 하셨다. 공장에 계속 다닌다면 꿈에도 그리던 낮에는 일하고 야간에는 공부한다는 것은 고사하고, 옷이고 신발도 못 사 입을 정도였다.

그 시절에는 실업고등학교 졸업하면 5급을 류(현 9급)

공무원 시험에 합격하여 농촌지도소에 근무하는 동기생들이 종종 있었다. 서울에 가서 큰 꿈을 이루겠다고 서울까지 왔는데 공부하기는커녕 밥벌이도 힘들었다.

공장 다니는 것을 그만두고 외판 사원으로 취직하여 영업을 하는데 천성적으로 장사의 소질이 없는지라 가루비누 외판 선풍기 외판 직업 안내소 근무 어느 한 곳도 내성적 성격인 나에게는 발붙이기 힘들었다.

내가 실업(농업) 고등학교를 졸업할 때 상황은 서울에 누구 연고만 있으면 서울로 모여들었고 공장에 직공으로 들어가려면 아는 사람 소개로만 들어갈 수가 있었다. 어떤 때는 공장에서 한 줄로 세워놓고 차례차례로 누구의 소개로 공장에 들어왔느냐고 묻는다.

공장 입사에 소개한 사람이 공장장님이나 조금 높으면 이쪽으로, 소개한 사람이 작업반장이나 낮은 직책일 때는 저쪽으로 한 적도 있었다, 고한다. 저쪽으로 줄을 선 사람은 그 자리에서 잘려 나가야 하는 이야기도 들었다.

어머니 말씀대로 일하면서 공부한다는 것은 정말 힘이 더는 일이었다.(1968~9)

19 **서울인구400만 영등포100만(한강남쪽)** 1968년

서울 인구가 400만 영등포(한강 남쪽) 인구가 100만이었을 때 영등포구 도림2동에 외숙님이 살고 있었다. 청파동에 있는 불이화학 공장에 출근을 하려면 완행버스를 타고 도시락 가방을 들고 다녔다. 조금 시간을 빨리 가려면 급행 버스를 타고 남영동까지 가면 된다.

출근하려고 제1한강교를 건너려면 다리 위에는 버스에 전차에 택시에 우마차에 범벅이 되어 서로 먼저 가려고 차머리를 누가 먼저 드리대느냐, 그런 때도 있었다. 우마차의 말 궁둥이에는 배설물 받는 포대기가 달려있었고 유일하게 우마차가 못 가는 곳은 자동차 전용도로에는 우마차가 못 다닌다.

자동차 전용도로는 제1한강교 남쪽에서 제2한강교 남쪽 방향으로 강남 쪽 노량진 쪽의 자동차전용도로 입구에는 우마차 통행금지표시판이 있었다.

저녁 퇴근 때 남영동에서 구로동 가는 버스를 타야 하는데 어두워서 버스 행선지 번호판을 잘못 보고 탔는지 한강 다리를 지나고 대방동 신길동이어야 하는데 흑석동인지 어떻게 아무래도 아닌 것 같아서 노선버스에서 내려서보니 도로포장이 안된 농촌 길이였다.

캄캄한 밤에 흑석동의 포장 안된 버스 길 옆에는 농작물이 양옆으로 있고 주택은 보이지 않는 길을 계속 걷을 수도 없고 해서 지나가는 택시를 타고 노량진까지 택시를 타고 온 기억이 난다.

전차를 타려면 5원에 차표가 2장 붙어 있어서 한쪽만을 잘라서 주면 영등포역 앞에서 동대문까지 타본 기억은 있는데 청량리역 앞까지는 기억이 없다.

불이 화학공장에 2개월 다니는 중에 야유회를 갔다. 불이 화학공장 식구 전체가 청파동에서 도봉산 유원지로 버스를 갈아타고 갔는데 엄청 변두리이었고 도봉 천이 넓고 큰 바위들이 너부러지게 많고 농촌하고 똑같았다.

68년도에 고등학교를 졸업하여 공장에 다닌다면서 겨우 밥벌이를 한다는 것이 자랑스러운 일이 못되었다. 대학교 진학도 아니 하고 공무원 시험도 보지 않고 제대로 취직도 못한 고향 친구들도 있었는데, 육군 간부후보생으로 간 친구도 있고 68년경에 창설한 육군 3사관 학교에 간 친구들이 많았다.

나도 서울행을 하지 않고 고향 친구들과 육군 3사관 학교의 정보를 알았더라면 군인의 길로 갔을지도 모르겠다.

내가 하숙을 하고 있는 외숙 집 이웃에 밀성고등학교를 졸업하고 사진 기술 학원을 다닌다는 김광수 친구와 외숙 처남 되는 이준우 친구와 3명이 의논이 잘 맞아서 이준우 친구와 같이 불이 화학공장을 그만두었다.

19 가전제품 외판사원으로 1968

같은 고향 친구 3명은 선풍기 외판 사원으로 취직을 하였다. 을지로 세운상가 옆 2층 사무실에서 첫날은 40살 정도 넘은 고참 사원을 따라 견습으로 선풍기 1대씩 울러 메고 종로 3가 색시 촌으로 따라갔다.

돼지엄마라는 포주한테 팔았는지 색시들이 샀는지 울러 매고 간 선풍기 4대는 다 팔았고 그 색 씨들한테 수박 대접도 받았다.

그 색시들은 나보다는 몇 살 위인 것 같은데 곱게 차려진 침대에서 브라쟈 와 짧은 삼각팬티만 입은 채로 내려와서는 맨손으로 수박을 탁탁 쪼개서 나보고 먹으라는 것이었다.

더운 여름날 수돗가에 담가놓은 수박을 쪼개서 주는데도 나의 목구멍에 넘어가지 않고 입안에서 돌기만 하였다. 그 예쁜 여성들의 몸을 지나갔을 남성들을 생각하면 수박 맛보다는 눈을 돌렸던 것 같았다.

고참 사원과 우리 3명이서 선풍기 4대를 월부로 팔고 재미있게 월부 사무실에 왔더니 사무실에 수금 사원은 다음에는 색씨촌 돼지엄마에게는 가지 말라고 했다.

그 돼지엄마는 선풍기던지 뭐던지 월부로 다 구입해서 바로 전당포에 갔다 맞기고 선금은 받아쓰고 전당표 딱지만 가지고 있다가, 다음 달에 수금 사원이 수금하려 가면 선풍기 전당표만 내주면서 받은 돈은 써버렸고 가지고 있던 전당표 딱지만 내준다는 것이다.

다음 2번째 날에도 신입사원 우리 3사람은 고참 사원을 따라 선풍기 1대씩 메고 따라나섰다. 그날은 고참 영업사원은 서대문 불광동으로 방향을 잡고 갔다.

불광동은 신흥 부자들이 제일 많이 사는 곳이며 TV 안테나가 서울 시내에서 제일 많은 곳이라고 소개해 주었다.

불광동에 도착하여 보니 정말 새로운 주택가가 형성되어 있는데 TV 안테나가 정말 많았다.

그때 새로운 도로 작업도 하고 있고 다방을 개업하려고 공사하는 데를 찾아들어가더니, 주인 마담을 찾아 인사를 하고 개업 준비를 한다는 소리를 듣고 나서는, 나를 불러서 자기 주머니에서 돈을 꺼내주면서 돈표(돈이 그려진) 성냥 3통만 싸가지고 오란다.

여름인데도 시원한 한복을 입고 인테리어 공사를 지휘하던 주인 마담은 돈표 성냥 3통을 개업선물로 받고는 바로 선풍기 3대를 월부로 구입했다. 선풍기 1대를 택시 운전수를 만나 선풍기를 월부로 팔려고 시험으로 전기코드에 꽂으니 선풍기에서 웡~웡~ 소리가 나면서 돌아갔다.

선풍기 메이커가 광성 전자인데, 그 고참 영업사원은 골드스타 금성전자하고 광성 전자하고 자매회사 아닙니까. 그러니 운전수 아저씨는 선풍기가 2단 기아 놓은 소리가 난다고 좋아라 그러는 것을 보고 영업하는 사람은 대단한 사람이라고 생각했다.

19 **외판사원으로 독립과 퇴장** 1968년

3일째 되는 날은 그날 교통비와 점심값 일비를 주면서 2일간 교육을 받았으니 오늘은 우리들3사람만이 가서 영업을 해보란다. 이준우 친구는 선풍기 1대를 울러메고 김광수 친구는 라디오 1대를 양손으로 받쳐 들고 나에게는 2단으로 접는 우산 15개를 위가 터져있는 자루에 놓어 어깨에 맨 것 같다.

우리 3사람은 행동을 같이하되 교통비나 식대를 각자 부담으로 하고 한양대학교를 지나 성수동 쪽으로 영업을 나갔는 것으로 기억된다. 그때 간 곳이 성동구 상원 앞쯤으로 생각되는데 갈대숲을 많이 보았고 국화꽃 키우는 것을 보고 샛강을 건넜다.

사근동 근방에서는 저 산위에 우뚝 솟은 건물이 한양대

학교라는 말을 해가면서 하루 종일 걸음만 많이 걷고 동대문 쪽으로 왔다. 복개되지 않은 청계천변에서 고단하였던지 누가 먼저랄 것도 없이 3사람 다 청계천 길바닥에서 낮잠을 잤다.

김광수는 라디오를 배 위에 올리고 이준우는 선풍기를 붙들고 나는 우산 뭉치 가방을 머리에 베고 피곤하여 낮잠을 자다 서늘하여 깨어보니 해가져버렸고 어둑어둑하고 있었다.

그날 저녁때 영업소 사무실로 가서 힘들어 못하겠다고 물품을 반납하고 3일만에 선풍기 영업사원은 끝을 냈다.

다른 두 친구들은 각자의 길을 가고 나는 직업을 구하려 영등포에서 이쪽저쪽을 헤매고 있었다.

19 직업안내소에 취직을 1968년

직업 안내소에 취직을 하다. 직업을 구하려 영등포에 이쪽지쪽을 헤매고 있을 때 직업 안내소라는 간판이 보이길래 4층으로 올라가 보았다. 직업 안내소에 사무실에 직업을 구하려고 왔다고 하니까.

나이가 40후반쯤으로 보이는 총무님이 한 가지 심부름을 하라는 것이었다. 영등포세무서에 가서 영업감찰을 찾아오라는 것이었다. 나의 기동력을 보는 것 같이 보이길래 빠른 시간 내에 영업감찰을 찾아왔더니 오후 늦게까지 나를 기다려 보라는 것이었다.

오후 늦게 직업 안내소 소장님이 오셨는데, 총무님이

사무실에 심부름도 시키고 잡무도 보게 했으면 좋겠다고 해서 다음날부터 출근하라는 것이었다. 이원승 직업 안내 소장님은 대방동에 있는 노동청 직업안정관리사무소에 근무하는 공무원이면서 전화교환원 출신 부인의 이름으로 직업 안내소 등록증을 받아 영업을 하는 중이었다.

직업 안내소의 주 고객층은 식당 종업원이나 유흥주점 종업원 색시였다. 유흥주점의 색시를 소개해 주면 주인에게 월급의 10% 와 종업원에게도 첫 달 월급 10%를 수수료를 받아서 사무실을 운영하고 있었다.

종업원 색시들이 대개가 1~2달 급여를 선금으로 받아서 옷을 구입해서 입고 필요하지도 않으면서 선금을 받아 흐지부지 낭비를 하니까 헛 바람든 남정네로부터 팁을 쉽게 받으니까? 종업원 색시들도 돈이 모이지 않고 관리가 안 되었다.

사설 직업 안내소(소개소)에 근무하면서 본 것은 접객업소 종업원을 구할 때에 직업 안내소를 통해서 선금(먼저 업소에서 빚진 돈)을 갚아주고 종업원을 구하고, 먼저 선금을 당겨쓰고 (옷을 구입) 일하려 가는 것을 보았다. 그래서 접객업소 유흥업소에서 근무하면서 돈은 벌지만 관리가 안 되는 것을 보고 있을 곳이 못된다고 생각하고 있었다.

직업 안내소에 근무하면서 좋은 직장을 구하면 되겠다 싶어서 계속 근무하고 있는데 어느 날 기회가 온 것 같았다.

20 비어홀 7번 웨이타로 명함 1969년

비어홀 7번 웨이타로 일하다. 영등포역 앞에서 우연히 고등학교 일 년 선배 여창대를 만났다. 그 선배는 비어홀에서 야간에만 카운터 일을 보아서 수입도 괜찮고 낮에는 시간이 있다 하였다. 보증금만 해결이 된다면 나에게는 정말 좋은 일자리가 될 수 있었다.

카운타 보는 보증금 이만 원(소 한 마리 값) 이 문제였다. 수입도 괜찮을 뿐만 아니라 낮에는 공부를 할 수 있겠다는 생각에 가난한 집안에 육 남매 맏이라는 것을 나는 잊어버리고 아버지 어머니를 무척이나 힘들게 하였다. 우여곡절 끝에 고향에서 보증금을 마련하여(키우던 소를 팔아서 아버지 어머니는 많이 싸우셨다고 함) 비어홀 카운터 일을 보았는데 영업이 잘 안되었다.

영업이 되지 않아 비어홀이 망하게 되니까 보증금도 못 돌려받게 되어 고향에 가있는 선배를 서울에 올라오게 하여 보증금을 겨우겨우 돌려받는 둥 마는 둥 하였다.

얼마 동안 실업자로 있는 동안 부모님께 받은 보증금도 흐지부지 없어지게 되었다. 어려운 집안에서 받은 보증금 이만 원을 날려버렸으니 큰일이 났다. 밀양고향에 가서 주민등록증도 만들어야 하고 병무청의 신체검사도 받아야 하는데 그때부터 부모형제와 단절하고 고향 친구도 단절하고 외롭게 비어홀 웨이터7번으로 들어가게 되었다. 보증금도 없는 업주테이블 웨이터로 일하게 되었다.

그때 생각난 것이 '나는 지각생이다'그래서 웨이터 명함에'7번 웨이터 지각생'내가 나에게 붙인 별명이'지각생' 웨이터가 되었다. 비어홀에서 웨이터 일을 보면서 비어홀 바로 옆에 있는 신문보급소 일도 보게 되었다.

'나는 천천히 가지만 뒤로 가지는 않는다.'라는 명언을 저 유명한 미국의 링컨 대통령이 남겼다.

어릴 때는 이 말을 몰랐지만 나는 나 자신에게 지각생이란 별명을 붙였고, 지금 돌이켜보면 늘 늦깎이 지각생으로 살아왔다. 남들보다는 조금 늦기는 했어도 끝까지 노력하면서 지각생이 될지라도 끝까지 해본다는 생각으로 살아왔다.

지각생으로라도 나중에 공부하여 대학을 가겠다는 생각으로 비어홀 나의 명함에 '7번 웨이터 지각생'이라고 했을 때 주변의 시선이 곱지는 않았다. 웨이터 체질이 아니었던지 그 생활도 오래 못하고 대학교는커녕 내 밥벌이도 못하고 실업자 신세에서 신문보급소를 기웃거리게 되었다.

처음 주민등록증이 발급됐을 때는 주민증을 잡히고 술을 먹는 일도 많았고 외상값을 못 갚을 때는 주민증 내놓으라는 말도 한다. 그 이후 주민등록법에 의하여 신분증을 못 잡게 되었다.

아리랑 비어홀

7번 웨이터 지 각 생

전화 12-3456

21 **신문보급소총무수금원** 1970년

신문보급소 총무로 일하다. 밤에는 웨이터 낮에는 신문대금 수금원(총무) 내성적인 나에게 '지각생 웨이터' 도 맞지 않았는지 웨이터 일도 하지 않고 신문보급소 일만 하게 되었다. 서울에서 일하면서 공부하는 것도 실패로 돌아갔다.(1970~1)

아버지 어머니는 어렵게 고등학교까지 시켜주셨는데 나의 마음대로 안 된다고, 모든 연락을 끊고 삼 년 동안을 혼자만이 숨어서 살았으니 불효자식 중에도 상 불효 자식이다. 고향에서는 행방불명된 자식이라고 소문이 나섰다. (서울에 있는 외삼촌도 모름) 어머니 아버지께 마음고생을 많이 시켰다.

비어홀 웨이터 일을 그만두고 신문대금 수금원(총무)으로 자연스럽게 이직을 하게 된다. 신문보급소 총무 일을 열심히 하면서 조금은 안정을 찾게 되어, 단절하고 살았던 집안 식구들도 보고 싶어지고 입영 신체검사 통지서를 못 받았으니 걱정이 되었다.

늦게나마 집으로 고향 부모형제를 찾아갔다. 병무청 신체검사를 받기 위해서 고향 부모형제를 찾아서 그동안 부모님 가슴에 대못을 처박았을 것이다.

22 **신체검사 년 말 보결입영통지서** 1971년

병무청 신체검사 후 바로 연말에 보결 입영영장통지서를 받았다. 신문보급소 총무 일로 조금 모았던 돈으로 비어홀 카운터 일을 하면서 공부하는 것이 미련이 남아 친구와 같이 보증금을 걸고 일을 시작했다, 그리고 서울 생활도 활기를 찾기 시작했고 안정적이었다.

그런데 육군 입영 신체검사를 하고 나서 갑자기 1개월도 여유 없이'보결 입영통지서'가 나온 것이다. 그때는 입영 기피자도 많았고, 보충역으로 군에 안 가고 미루는 예도 많았다.

입영 연기를 해볼까 보충역으로 될 수 없는지 늦게 가는 군대가 왜 그렇게 가기 싫은지 여러 가지로 노력은 해봤지만 헛수고였다. 비어홀 경리 보증금도 친구에게 못 받고 하는 수없이 육군 입영통지서 되로 입대하기로 마음먹고 서울 생활을 갑자기 정리에 들어 갈려니 문제가 많았다. (1971말)

23 **논산 육군 제2훈련소에 입대** 1972~4년

논산 육군 제2훈련소(1972.1.4.)에 입소하여 늦깎이 훈련병이 되었다. 아우들 또래와 신병교육훈련을 받으려니 무척 힘들었다. 6주간 훈련을 할 때 우리 28연대 10중대 병력이 특수병과 이여서 중졸이 2명 그 외에 180명 모두가 고졸 이상이었다.

그 당시 육군 훈련병 학력으로는 상당히 고학력이어서 훈련은 쉬웠다. 특수병과만이 모여서 훈련을 받는 기분이었다. 나는 병과가 06-08 보안 주특기(편이 공작대)라 찾아 먹을 줄로 알았는데, 육군 신병훈련 전반기를 마치고 신병 배출 대에서 광주 31사단으로 50명이 배정된 줄로 기억된다.

31사단 보충대에서 96연대로 10명 전입해서 연대본부에서 영광 3대대로 4명이 전입 명령을 받고 영광 자대로 갔는데 부대원들은 불침번 빼고 모두 취침 중이었다.

전남 영광군 군서면 장동 부락(3대대)에서 군(졸병) 생활을 하려니 대대 병력 절반 이상이 호남 사람인데 비하여, 타 지역에서 온 사람은 다 합하여 절반이 못 되는 상황에서 몇 명 안 되는 영남 사람으로 써는 힘들기로 한이 없었다.

그때까지만 해도 영호남 갈등이 심한 상황이었고 월남전 말기라서 희생되는 사병도 많았다. 월남전에 차출되기도 싫고 영광 자대에서 병영생활도 무척 힘들었다.

4명이 동기었는데 1달에 1명씩 월남전에 차출하는데 동기생 2명이 월남전에 불려갔다 다음 달에는 누가 오음리 훈련장으로 가기 싫어니까 꾀병도 좀 하였다 그러던 차에 광주 사단에서 영농(양잠) 사병 1명씩을 보낸다는 소문에 인사장교(오영호 중위 제주도)에 부탁하였다.

그동안(3~4월) 부대 옆 민간인과 얼마나 깊게 정들었든지 자기네 식구같이 아껴주는 것도 뒤로하고 10월에 원대 복귀하는 줄로 알고 광주 사단본부(영농 사병)로 가게 되었다.

24 **육군복무기간 중에 맞선** 1973년

육군복무기간 중(23개월째)에 결혼식을 올린다.
(1973,11,11,11시에 김오목과 맞선) (1974,1,9 결혼식)

사단 군수처 인사계 상사(김희균)의 소개로 지금의 아내와 맞선을 보게 된다. (처음 맞선을 본 날 시가 지금은 빼빼로데이) 군인(사병)으로써 일요일 휴무 날 11월 11일 11시에 여성의 집에 초대되어 맞선을 보는데, 어떻게나 예쁘게 보이고 똑똑하게 보이는지 군 복무가 끝나는 대로 결혼하자고 당사자끼리는 약속을 했다.

맞선 본 것을 12월 24일 특박(7일간)을 나와서 부모님께 말씀드렸는데, 부모님은 군 복무 중이라도 결혼식을 올리고 해를 묵혀서 일 년 이후에 우리 집으로 데려와도 된다는 것이었다. 구정(舊正) 전에 해가 바뀌기 전에 결혼식을 올려야 된다는 것이고, 그래서 12월 30일 날 신부집에 결혼식 날짜를 통보했다. 그렇게 해야 만이 혼사 일이

깨어지지 않고 성사된다는 것이었다. 옛날 풍습이었던 것 같다.

지금 돌이켜 생각해 보면 우리 집 부모님이 결혼식을 강력하게 서둘러 주셨고 따라주신 처갓집 식구들에 감사함을 느끼고, 잘 된 일이라 생각된다.

1월 9일은 전통 구식 결혼식(3일간)을 광주 처갓집에서 성대하게 올렸다. 양가에서 혼례식도 잘 올렸지만 남은 군대생활 일년은 정말 즐겁게 한 것 같다. 나를 중신해준 김희균상사는 군부대내에서는 나의 상관이면서 나의 처갓집에서 전세방(그때는 하사관주택이 없었음)을 살았다.

군 복무 중에 채항석 사단장님 허운구 군수처보좌관님 오영석군수참모님 오영호중위 김대곤중위 김희균상사님 잊을 수 없는 사람들이 많다. 육군복무 중 채항석사단장님과 기세갑부사단장님 앞에서 사병(일등병~병장)이 차렷자세보다는 편히 쉬어 자세로 있던 시간이 많았으니 (중령 소령 대위님은 차렷 부동자세) 나로서는 재미있는 군대 생활이었다.

군부대 바깥 삼각리 동네에는 하사관들이 셋방을 많이 살아서 나 보고 이상근 병장은 한제댁 집의 사위라고 소문이 나있었다. 그래서 웃음거리 일화도 많이 나돌았다. 여러 상관분들 다 한번보고 싶다.
지금은 인터넷 세상이니까 채항석 사단장님이 참 보고 싶어서 검색을하여 연락을 취하여 보았는데 자손들은 외국에 거주하고 나같이 사단장님을 좋아하는 사람과 통화를 나누었다.

25 **육군3년 만기전역후 서울로** 1974년

육군 3년 만기전역 후에 아버지께서는 농촌에는 희망이 없는 곳이니까 객지로 나가라는 것이었다. 그래서 나는 서울로 갈 것이라고 하니까 처갓집이 있는 광주로 말씀하셨지만 나는 연말을 기하여 입대하기 전에 2년간 근무하던 조선일보 신문보급소를 찾아갔다.

26 **신문보급소를 하려고** 1975년

박춘서 소장님은 다른 지역 보급소를 동업으로 하자는 것이었다. 자기가 투자금의 2/3를 부담하고 내가 1/3을 들여서 삼백만원으로 내가 운영해서 수익금은 반반으로 나누기로 하였다.(신문본사 보증금삼백만원은 3~4개월내 회수된다고 함)

신문보급소업으로 성공한 분의 후원으로 사업을 벌인다면 나에게는 좋은 기회라고 볼 수 있겠다. 부모님께 말씀드렸더니 아버지는 전 재산인 논 두 마지기를 팔아서 나의 사업 자금으로 대 주겠다며 동네 사람들에게 논을 팔겠다고 하셨다.

이일을 보다 못해서 아내 김오목은 광주 친정에다 사업자금을 알아볼 테니 아버님을 그만 조러라고 한다. 지금도 그때를 생각하면 눈물이 나고 그때에도 아내의 치마폭에 눈물을 많이도 쏟았다.

장모님의 적극적인 후원으로 처갓집에서 집 한 채 값

(백이십만원)을 가지고 오고 아내가 가지고 있던 결혼 패물도 팔아서 그때 사업 자금으로 모아두고는, 신문보급소 할 자리를 물색하고 있었는데 박춘서 소장과 사업견습 도중에 의견 차이로 신문보급소를 못하게 되었다.

26. **학습지보급소를 하다 전화 없이** 75~77년

학습지 보급소를 하다.(연문흠 총무) 학습지 일일공부 장학교실보급소 1975년6월 개설(관리3명 영업5명 배달10명) 고생고생만 하다가 젊어서 고생은 돈 주고 싸서도 한다는 말에 위안을 삼는다.

경험 없이 일일공부 장학교실 쫄딱 망했다. (1977년10월 천호동, 암사동, 성내동, 풍납동, 길동, 명일동지역)

전화가 귀한 시절에 전화 없이 학습지 보급소를 하다 보니 배달사원(야간 고등공민학교 학생)과 섭외 영업사원 다루는 것도 힘들었다.

배달 학생들이 짝을 지어서 학습지를 돌리지 않고, 여름방학 때 놀려 가버리니까 나의 재산이 순식간에 날아가는 느낌이었다. 자영업이 망하는 것은 순식간에 일어나는 현상이었다.

27 **귀인이 찾아 왔는데도** 1976년

학습지 보급소 사무실을 처음에 넓은 부동산 사무실을 같이 사용하고 있었다. 그때 큰 도로공사를 서울시로 발주 받아서 시공하는 업자가 나에게 와서 이런 학습지 보급소보다는 잠실 아파트 단지 터에 배수로 공사할 시기였다. 아파트 입주권 장사를 해보라는 것이었다.

그러면 하루에도 몇 건씩 할 수도 있는 때인지라 학습지를 놔두고 '그 업자의 말만 들었더라면 부동산으로 승부를 걸을 기회를 놓친 것이 아쉽다.' 아내와 나는 그때의 기회를 놓쳤다고 말한다.

28 **집사람이 만화가게** 1977년

집사람이 만화가게를 하겠다고 일수돈 십만원만 얻어달라고 한다. 궁색하게 살다보니 그 일수돈십만원 중에서 내가 또 얼마를 잘라 쓰고 친구에게도 돈을 빌려 쓰고 신용과 체면이 없었다.

젊은 나이에 남들이 보면 아무것도 아닌데 그래도 듣기 좋은 소리로 사장이니 보급소장이니 소리를 듣다가 쫄딱 망해버렸다. 강동구 천호동에서 살고 있을 때까지만 해도 수줍음이 많았던지 낯 모르는 곳 마포구 망원동으로 출근하여 학습지 주문 사원을 했다.

그쪽 보급소장이 방도 얻어 주겠다, 하고 대우가 괜찮은 편이였는데 그놈의 수줍음과 자존심이 문제였다. 망원동 학습지 보급소에 가끔은 본사 직원이 오는 것 같아서 여기도 있을 곳이 못 되는구나 싶었다.

신문광고란를 보고 직업을 구하겠다고 여러 곳을 가보면 전부가 영업사원 모집이다. 여기서 만난 사람이 저기서 만나고 또 여기서 만나고. 어쩌다 내근직으로 직업소개소에서 일한 적도 있는데, 영업이 안 되어서 월급도 못 받으면서 사람을 팔아먹는다는 오해를 받기도 하였다.

서적 외판원을 한답시고 경기도 일원으로 두루 다녔고, 어느 때는 여성들과 같이 요리강습을 시킨다고 하면서 서울 변두리 지역을 다니면서 전기오븐기를 팔기도 하였다. (1977)

내가 돈을 벌어다 준 적이 없으니 부인이 하는 말 “당신이 남편이다 보니 밥만 그냥 드시고 나가세요. 그리고 직장 다니는 것 같이하시고, 돈 빌려 달라고만 하지 마세요”

오늘을 살고 있는 젊은 부부들에게 들려주고 싶은 이야기이다. 어떤 부인이 남편이 돈 못 버는 것을 이해하고 당신한테 생활비 달라 하지 않을 테니 몸이나 건강하세요.

지금도 몇 년간을 돈을 벌어다 주지 않고 내가 용돈만 탔어 쓰고 있으니 용돈 주면서 말한다. “다른 사람은 나이 들어도 자기 용돈은 벌었어 쓰더구만요” 나는 웃음으로 대답하고 할 말이 없다.

29 **청계천대로에 노점장사하다** 1978년

영업(외판) 사원 자리를 알아보던 중 조두원 이라는 분이 청계천 도로에서 사다리 장난감을 팔고 있었다. 그렇게 놀지만 말고, 장난감 10개를 주면서 팔아보라는 것이었다.

조금 떨어진 거리에서 팔았는데 다 팔고 또 가져와서 팔았다. 처음으로 노점장사하려니 부끄럽기는 하였지만 일당 벌이가 되니까 기분은 좋았다.

노점에서 학습용 망원경을 팔기도 하고 훔쳐 가는 사람을 잡아 도둑으로 신고하겠다고 하고 물건을 팔기도 하였다.

청계천 대로에서 노점 장사를 하다가 종로로 쫓겨서 가고 또 종로에서 을지로 대로까지, 장난감 장사를 많이 하고, 넥타이 장사를 비롯하여 여러 가지를 다 해본다.

노점을 하다 방범대원에게 잡히고 파출소 순경에게 잡히면 파출소에 붙잡혀 가고 파출소에서 경찰서로 가고 경찰서 유치장에서 통행금지에 걸린 청춘 남녀들을 보고 그들은 초라한 모습의 우리들과 하룻밤 보내고 다음날 서대문 응암동에 있는 즉결재판소에서 재판관이 벌과금을 매긴다. (1978)

그럼 길에서 교통을 방해했다는 죄목으로 벌금을 내고 돌아와서 장사하다 또 잡히면 재판에 끌려가고 했다. 그때는 돈 없이 가난하게 사는 것도 죄가 되냐 반항심도 났다.

30 **때가 안 되면 보이질 않아** 1979년

노점장사를 하다. 칼라TV가 나오기 전이라 흑백 TV에다 삼색 보안경(아크릴판에 적, 황, 청색을 물들인 것)을 붙여서 보면 흑백보다는 훨씬 났다고 하고, 어떤 때는 칼라로 보인다고 선전하면서 노점에서 팔다가 사기꾼으로 몰리기도 하였다.

삼색 보안경을 만들면 될 것 같은 느낌에 만들어 보려고 아크릴판과 염색 원료를 구입하여 만들어보았는데, 투명 아크릴에 두 가지 색깔은 들어가는데 삼색은 넣기 힘들었다.

간단하게 황색 아크릴판에다 1/3은 적색을 물들이고 반대편으로 1/3은 청색물을 들였으면 간단하게 삼색 보안경이 완성되어 상품(3색 보안경)이 되었을 텐데... '지금 생각해 보면 그 시기에는 나에게 때가 되지 않았음을 알았다'고 생각된다.

30 **인장영업사원으로** 1979년

영업사원 선배 한 분(조두원)이 수줍음이 많은 나에게 노점장사보다는 인장(도장)을 주문받으러 다녀보라는 것이었다. 소개해준 곳은 종로6가 덕성빌딩에 대영사(김동휘)에서 인장영업사원이었다.

인장 주문을 받으러 다니는 것은 청계천 대로나 종로대로에서 노점 장사하는 것보다는 좋았다. 우선 얼굴이

많이 팔리지 않으니까 좋았고, 내가 노력한 만큼의 수입도 노점 할 때보다는 나았다. (1979)

서울전지역을 왔다 갔다 할 때도 있었지만 한양대학건너 성수동 상원앞에서 동부세무서 까지 두 정거장사이에서만 할 때가 좋았다.

인장주문영업을 하면서 만난 아우 이창은 이는 학교단체주문을 받기위해 만났는데 인장제작까지 하자면서 나도 알고 있는 김종용 이도 끌여 들여 인장제조업 까지 해보자는 것이었다.

형께서는 주문 같이 받고 일은 자기들이 할 때 심부름하면서 뒷바라지를 해주라는 것이었다. 그러면서 형의 뜻에 잘 따랐다. 드디어 세 사람이 다 같이 한다 하여 삼성사라고 상호도 정했다.

이창은 아우가 삼성이란 말이 기분이 그렇다면서 삼중기업이라고 하면 좋을 것 같다고 해서, 삼중기업이라는 상호로 동판(인장을 만드는 인쇄 동판 부품)을 맡기곤 했다.

31 좋은 아이템에는 자금이 모인다 1980년

아이디어맨인 나에게 기회가 온 것인가? 이중도장에 솔이 달린 도장이 있었는데, 그 이중 도장 재료 금형이 고장이 나서 금형 수리에 들어갔으니 앞으로 사용량을 미리 주문하라는 것이었다.

영세업을 하는 사람에게 몇 달 치 사용량을 주문하라는 소리를 듣고 앞으로는 이중 도장 재료가 나올 수 없다는 것을 예감했다. 나는 이중도장속에 있는 솔을 없애고 콩 도장을 끼워서 삼중도장 금형제작에 들어갔다.

아내가 돈 못 벌어 오는 나에게 가죽잠바 하나 사서 입고 다니라고 준 2만5천원으로 삼중 도장 금형 대금 13만원의 일부를 선금(2만5천)으로 걸었다. 금형을 파는 업자도 잘될 것 같다고 격려를 해주고, 플라스틱 사출하는 업자는 이번 기회에 도움을 주겠다고, 특히나 집사람이 호응이 아주 좋았다. 잘되려면 주변에서 반응이 좋으면 성공할 것 같았다.

아내는 처이모님을 찾아가서 돈백만원을 빌려와서 보태주고, 도장 재료 플라스틱 사출 업자도 250만원까지 재료값을 밀어주었다. 부인은 사무실을 넓히라고 또 처이모님한테서 백만원을 가지고 왔다. 그래서 좋은 아이템이 있어서 기회가 된다면 자금은 저절로 모이게 된다는 걸 깨닫게 되었다.

31 **삼중인장금형에 삼중당** 1980년

삼중 인장 금형이 완성되고 삼중당이 시작, 처음에는 세 사람이 동업으로 시작했는데, 김종봉 아우가 육군에 입대해야 하고, 또 이창은 아우는 대학교 복학을 하기 때문에 알바로 도와주기로 해서 그때 바로 독자적으로 삼중기업을 운영하게 되었다. 삼중인장을 개발한 상태라서 '삼중당' 인장업을 하게 된다.

1980년도에 삼중도장 재료를 판매하면서 삼중도장을 제작하는데 영업도 잘 되었다. 덕성빌딩에 사무실도 2평에서 6평으로 넓히고 빌딩구내전화에서 단독전화도 놓았다.

학교단체도장을 하루에 2포대씩 만들게 되었고, 삼중도장 제작공도 3~4명이 되었다. 영업이 잘 되었다.

나중에는 3층입구로 내려와서 사무실4+4평2개를 사용하였다.

31 **여동생 참여와 큰 아이가** 1980년

처음에는 부산에 있는 여동생을 불러 올려서 참여시키게 되었다. 도장 제작 영업이 잘 되니까 바닥 쓸고 닦을 시간이 없었다.

갑자기 큰아이를 사고로 잃다. 하는 일이 어느 정도 잘 풀려나가니까 생각지도 않던 큰 사고가 내게로 찾아왔다. 도장 재료를 사출해 주던 한길웅 사장이 아들 사고 소식을 전화로 알려왔다. 종로 6가에서 천호동까지 택시로 바로 갔는데 아이는 벌써 이 세상 사람이 아니었다.

큰아이는 이목구비가 뚜렷한 잘생긴 아들(6살) 이였는데 사고로 잃어버렸다. 내년에는 초등학교에 가겠다고 학습지 공부를 할 때이었다.

31 천호동에서 종로6가동으로 1980년

천호동에서 종로 6가로 이사 어린 두 딸(4살, 2살)을 데리고 천호동에서 울고 있는 아내를 그냥 볼 수도 없고 해서, 삼중 철인 도장 만드는 일이 바쁘다는 핑계 삼아서 두 딸과 아내를 종로 6가 사무실로 출근을 시켰다.

아침 6시에 일어나서 천호동에서 7시에 출발하여 종로 6가 사무실에 8시까지 출근하여 하루 종일 꼬박 일하다 보면 저녁 11시 딸아이 한 명씩 안고 마지막 버스를 타고 천호동으로 12시까지 퇴근하는 일도 정말 중노동이었다. 아이들을 안고 차 안에서 깜박 잠이 들면 버스 종점인 경기도 신장까지 가게 된다.

그래서 어디에서 셋방을 살든 일하는 곳이 가까운 곳으로 이사를 하여 살기로 하고 셋방을 보려 다녔는데 마침 사무실 건너편(효제동)에 상아방이 있었다. 부엌도(대문 밖에 쪽문) 따로 있고 큰 방에서 작은방으로 가는 쪽문도 있고 마당은 주인집과 마당은 같이 쓰는 모양새여서 딱 마음에 들었다.

그런데 집주인이 우리 집에 아기가 딸 둘이라는 소리에, 복덕방 주인에게 나무라고 있었다. 주인인 자기 집에 아이들이 2명(5살, 13살)과 또 문간방 셋방에 아기 1명(3살)과 우리 집 아래채에 딸(2살, 4살) 한 집 마당에 5명 아이가 놀고 있다면 유치원같이 보여서 안 되겠다는 것이었다.

오히려 우리 부부에게 미안하다고 사정을 하는 것이었다. 우리 부부는 아쉬움을 뒤로하고 한참을 걸어 나오다가 되돌아가서 집주인 어른께 사정을 하였다. 우리 큰딸아이는 광주에 외할머니 집으로 보내기로 하였으니, 우리 부부에게 셋방을 주십시오.

주인집 어른은 그렇잖아도 당신들 젊은 부부가 좋게 보여서 찾으려 나가려고 그랬어요 큰 아기도 외갓집에 보내지 말고 여기 우리 집에서 키우세요. 우리 부부는 연신 고맙습니다. 고맙습니다. 인사하였다. 주인집은 곽씨 성을 가졌는데 아이 이름이 곽영수 이었다, 정말 좋은 사람들이었다.

31 **광주항쟁 일어나다 5월18일** 1980년

5월 20일쯤 됐을 때 젊은 영업사원 한 사람이 광주에서 난리가 나서 전화도 안 되고 광주역이나 버스터미널 근방에는 진입이 안되니까 처갓집으로 연락을 해보라는 것이었다.

처갓집 이웃에 전화를 하니 불통이었다. 2~3일을 전화를 해도 불통이었는데 해외 순방 나간 최규하 대통령이 귀국하여 광주에 작은 소요 사태가 벌어졌으니까 광주시민은 집 밖을 나오지 말고 사태가 진정될 때까지 외출을 하지 말라고 방송이 나오는 것이었다.

소요사태가 진정되었을 때에는 처갓집 앞에 외동아들(대학생)과 옆집 성안댁 아들(필자도 얼굴을 알고 있음)도 희생되었다고 한다.

32 **남동생과 처남(전역한)참여** 1981년

남동생(이상문)과 처남(김흥수 하사관으로 전역)까지 동참시켰다. 남동생은 삼중 도장 제작 관리를 시키고 처남은 글씨를 잘 쓰기에 인장 모필을 시키고 조각도 하였다, 먼저 동참한 여동생은 출고와 경리를 맡아서 집안사람으로 이루어졌다.

서울 근방 지방에서 주문을 받아오는 영업사원도 여러 사람이지만 사무실 안에서 내근직도 8명 정도 되었다.

33 **창호출생하고 한옥 집 구입** 1982년

기다리던 아들(창호)이 태어나다. 82년5월14일 그때까지도 남아선호사상이 남아있을 때 인대도 정부시책은 둘만 낳아 잘 기르자. 잘 키운 딸 하나 열 아들 안 부럽다. 라고 구호를 외칠 때 인대도 아들이 꼭 있어야 한다.

와이프나 나에게는 큰아이를 잃었던 슬픔을 간직한 사람으로서 창호의 출생은 크나큰 기쁨이었다. 아들을 낳으려고 나름대로 공부를 할 지경이었다.

민간의 속설 데로 남의 금줄에 고추도 따오고, 잠자는 시간도 맞추어서 잠자고 할 수 있는 방법은 다 취하였다.

집주인 아주머니는 한옥집 구입 계약했다는 소리를 듣고 이제는 넓은 집에 가서 아들을 키워보세요. 곽 사장님은 이방에서는 다들 아들 낳고 집 사고했어요.

33 때 놓친 재테크 방법 1982년

강남4거리의 슬라브집50평짜리 집도 놔두고 종로6가 40평짜리 한옥집도 놔두고 종로6가 골목안 한옥집 19평짜리를 택했다.

그만큼 나에게는 창호를 편안하게 키울 수 있는 곳, 아이들이 골목에서 놀 수 있는 집을 골랐다. 지나고 보면 처음으로 한옥기와집을 구입하였지만 재택방법에서는 때를 한번 놓힌 것 같다.

월세방 보증금도 없었던 내가 3년 만에 종로6가226-16호 주택가에다 처음으로 한옥 기와집 한 채를 마련하였다. 처음 구입한 우리 집으로 이사하는 날에는 밀양고향에서 아버지 어머니도 단걸음에 상경하여 첫날밤을 보내게 되었다.

시골 고향집에서 가난하게만 살던 아버지어머니는 얼마나 기분이 좋으셨던지 아버지께서는 “나 이젠 지금 죽어도 원이 없다”고 말씀하신다.

삼중당이란 상호를 쓰고 나서 내가 하는 일이 잘 풀리는 것을 보면 삼중(三中)이란 상호가 이름으로 잘 맞는 것 같았다. 고향에서는 새 부자가 났다고 소문이 자자하게 났다.

34 통신판매 종로6가228-16호 1983년

통신판매하는 삼중당 주소지도 종로 6가 228-16호로 바뀌었다. 학교에 단체 도장을 주문받으려면 영업사원이 나가서 주문을 받아오는데 영업사원 다루기가 보통이 힘든 게 아니었다. 그래서 소비자와 직접 거래해 보자 싶어서 한 것이 통신판매였다.

통신판매란 말 자체가 생소할 때 당시에 돈오천원을 봉투에 넣어서 우편으로 보내주시면, 삼중도장과 가죽 주머니를 주문자5명을 전부 보내준다고 하니까, 통신판매로도 영업이 잘 되었다. 통신판매용 주문처(중앙우체국 사서함 000호) 전국전화번호부책을 보고 봉투를 하루에 700장을씩 손으로 쓸려니 처남댁까지 동참시키기도 했다.

통신판매로 주소지를 종로6가동 228-16호로하면서, 통신판매를 전문으로 하게 된다. 삼중도장재료를 생산하고 철인삼중도장을 2년동안은 잘하였다. 그런데 같은 한 건물에 똑같은 업종이 10개 업체가 있으니 영업사원 다루기가 아주 힘들었다.

여름에는 한옥집수리를 하게 되었다 처음하는 한옥집수리라 순서가 틀렸다.

34 삐삐수신기 먼저 구입하였다 1983년

휴대폰이란 생각지도 못 할 때에 을지전화국에 전화번호 문제로 갔었다. 홀에서 직원에게 무엇을 설명하고 있었는데, 삐삐 수신기와 012번에 대하여 설명을 듣고 나서 바로구입을 하였다.

그리고 보란 듯이 허리에 차고 다녔다, 집에 늦게까지

들어가지 않으면 부인한테서 여지없이 호출을 당했다. 처음 구입한 삐삐 수신기 사용은 하지 않지만 모토로라에서 만든 기기는 아직도 보관하고 있다.
그때 가까운 혜화전화국 숭인동 시외전화국 을지전화국 전성시대인 것 같다.

34 **붓글씨 시작 때 이산가족 찾기** 1983년

서예실에 나가기 시작했다. 철인 삼중도장을 새기려면 붓글씨를 써가지고 축소하여 동판을 잘라 붙인 것이라서 붓글씨 쓰는 사람이 3사람이 글씨를 쓸 때도 있었다.
그래서 저녁이면 서예학원을 다녔다. 그때 1983년도에 몇 달 다니고 서예학원에서 세종문화회관 지하 홀에서 성균 서예학원 전시회를 하는데 출품도 하였다. 출품한 작품은 40여년이 지난 지금도 우리 집 거실을 장식하고 있다.
그 다음해 겨울에 여동생을 결혼시키고 사무실에서 내근 근무로 붙들려 일하게 되었다.
서예학원은 꾸준히 다니지 못하고 몇 달 다니고 2,3년 쉬고 기초 몇 달 다니고 2,3년 쉬고 학원도 여기저기 옮겨서 매번 기초만 배우는 둥 마는 둥 글씨에는 전혀 소질이 없었던 것 같았다.

35 **여동생(80~84)만5년근무 결혼** 1984년

삼중당을 시작 한지 얼마 되지 않았을 때 80년 초에

부산에서 왔어 삼중당 안쪽의 일은 전부 다 보아주던 여동생이 시집을 간다니까. 좋기도 하지만 내가 걱정이었다.

사무실에 메여서 꼼짝을 못 할 텐데 바깥일을 어떻게 할지 취미로 저녁에는 서예학원 나가던 것도 못 나가고 일시적으로는 모던 것이 중단되는 것 같았다.

36 **동판인장글씨가 선명하게 개발** 1985년

도장울 칼로 새기어야 되는데 필자는 인쇄할 때 쓰는 연판을 도장모양그대로 동그랗게 오려붙여서 만들었다.

인면글씨가 연판색이라 잘 안 보이는 이름자를 고운 페파로 살짝 갈아서 글자가 잘 보이게끔 만들었다.

영업사원들은 인면바닥이 빨간 인주색 에다 이름글씨가 선명하고 보이니까 대환영이었다.

37 **동판인장에서 수지판인장으로** 1986년

동판인을 플라스틱 삼중 도장(아크릴 1단 도장)에 붙여서 철판 붙인 표가 선명하게 났다. 도장 인면과 이름 새겨진 동판과 떨어져서 불편을 겪던 것을 개발한 것이 수지 도장이었다.

수지판 인장은 아크릴 1단 도장에 벤치 레서로 홈을 파서 수지판을 집어넣어니까. 아크릴 도장과 수지인 면과 붙인 표가 전혀 나지 않아서 꼭 칼로 새긴 도장과 흡사하였다.

38 숭인동72-149호로 이사하다 1987년

숭인동 72-149호(89평)로 한옥 집으로 키워서 이사를 하게 되다. 먼저 집주인이 안방을 당분간사는 것으로 계약되어서 몇 달간은 우리가 문간방에 살게 되었다.

처음 구입한 6가 228-16호(19평)에서 6년간을 저지대에 살았고 숭인동 이 집은 동망봉 아래지만 고지대였다. 고지대다 보니까 수돗물이 높은 대로 한번 뽑아 올렸다가 사용하였다.

먼저 살던 저지대 종로 6가동에 살 때는 공기가 탁해서 그런지 물이 모이는 지역이라서 그런지 건강에는 별로였다. 고지대로 이사 오고 나서 공기가 맑고 수돗물도 기분에 맑은 것 같았다. 누가 그랬는지 물이 모이는데 살면 돈이 모이고 산 위에서 살면 건강이 좋아진다고 했다.

38 경조인을 개발하다 1987년

경조인을 개발했다. 내가 글씨에 소질이 없던 것이 개발의 동기가 된 것 같다. 결혼식이나 초상집에 갈 때마다 필로 봉투를 쓰기보다는 木 고무인으로 찍어서 갔다.

祝 華婚, 祝 發展, 祝 壽筵, 祝 古稀, 賻儀, 祝 結婚 해서 봉투 앞면에 찍어서 가던 것을 플라스틱 대에 고무인을 붙여서 겹으로 5겹으로 만들었다.

인장과 통에다 주소 성명 고무인을 붙이고 경조인 5겹을 합한 것을 만들어 팔기 시작하였다. 그렇게 만들어 팔기 시작하고 6개월가량은 별로 팔지도 못하였다.

고등학교 다닐 때도 아이디어 반이었는데 지금도 아이디어맨 같다. 수지 도장 개발, 경조인 특허, 조립식 도장, 적층식 화분, 도장 케이스, 전자 달력 디스플레이 방법 등 특허증이 12개나 되었다.

아이디어맨으로(1987~2010) 삼중 도장 영업이 좀 못해질 무렵에 수지 도장을 개발하게 되고 1단 수지 도장 영업을 하다가, 내가 글씨를 잘 못쓰는 것이 계기가 되었는지 경조인 5단(祝結婚 祝華婚 祝發展 賻儀 祝古稀)을 개발하여 경조인 붐이 일어나게 되었다.

38 **경조인 특허권 싸움을 하다** 1987년

경조인을 만들어놓고 6개월 이후부터 조금씩 팔리기 시작하자 기대가 조금 있었지만 별로 팔지도 못하고 있는데 똑같은 모방품이 나왔다.

모방품을 만든 세광사(서석홍)에게 고소장을 보냈다. 상품은 똑같이 만들어 놓은 자기들도 특허청에 등록을 하였다는 것이었다. 고소를 하여놓고 서울지방검찰청에 가서도 무수히 싸우고 항고를 하고 특허법으로 많이 싸웠다.

미국의 특허와 한국의 특허 차이점이나, 특허를 낼 때 잘 등록을 해야지 분쟁의 소지를 없앤다.

인장 통신판매할 때는 내가 여러 번 경찰서에 출두하여 문제를 해결하였지만 이번 특허법으로 검찰청까지 와서 그것도 항고 끝에 허위 표시제로 벌과금 이백만원을 세광사(서석홍)에게 과징케 했다.

39 **창신동 19평 한옥집 구입 점포로 수리** 1988년

창신동에 19평 한옥집을 구입했다. 내가 하는 업종이 인장업인데 인장업이 몰려있는 지역은 창신동 쪽에 인장 인쇄 고무인 명함이 몰려있었다. 그래서 인장업이 몰려있는 뒷골목에 있는 한옥집을 싸가지고 점포로 쓰게 되었다.

내 나이 32세까지만 해도 월세 방세를 내기도 어렵게 살았는데, 40세가 되어서 종로구 주택가에서 한옥 기와집이 2채가 되었다.

실지로 남들이 보았을 때 오두막집 두 채가 별것 아닌데, 밀양 고향 집에서나 부모님에게는 대단히 성공한 사람으로 알려지기 시작한다. 나 역시 남에게 표현은 아니 할지라도 더 있으면 괜찮지 않겠나 싶었다.

그런데 나의 한계는 오두막집 2채가 전부였다. 그때나 지금이나 오두막집 2채로 늘지도 않고 그렇다고 해서 줄여먹지도 않는다. 종로에서 33평형 아파트 하나는 내가 살고 오두막집 하나는 세주고 도장가게 삼중당은 지금도 운영 중이고 앞으로도 운영할 것이다.

40 시집간 여동생가족 숭인동 집으로 1989년

삼중당 사무실을 종로 6가에서 10년 가까이 있었는데 창신동 한옥집을 수리해서 이사하고 여동생 상분이를 시집가기 전 4년간을 데리고 있었다.

부산으로 시집가서 살고 있는 여동생 식구들을 서울 숭인동 우리 집으로 세를 주어서 불러들이고 매제 박지원이는 삼중당에서 같이 일하게 했다.

매제 박지원이 하는 일은 경조인을 만들고 고무인 뽑고 힘쓰는 일은 잘하는데 술 마시는 습관과 남자 직원들과 유대관계가 좀 더 좋았으면 했다.

41 처음 폴더형 휴대폰구입 1990년

폴더형 휴대폰을 구입하였다. 벽돌형 휴대폰에서 발전하여 폴더형 휴대폰으로 바뀌었을 때쯤에 그때는 휴대폰을 구입하려면 전화국에서 실시하는 소양 교육 1일을 받아야 만이 전화기를 구입할 수 있을 때였다.

특허청에서 실시하는 발명가 협회원 모임에서 지방으로 기업체 순회 방문이 있었다. 갑자기 일정이 잡혀서

울산 현대자동차 공장으로 생산라인을 견학하고 광양 종

합제철 생산라인을 견학하려고 한다.

휴대폰을 가지고 갈려니 소양교육받을 시간이 없어서 휴대폰을 바로 개통해서 오면 240만원을 바로 주겠다고 해서 간신히 구입했다.

처음 구입한 기기가 모토로라 제품인데 번호는 011 289 3111 아직까지 번호도 써고 기기는 몇 번을 바뀌어도 첫 번 기기 그대로 보관하고 있다.

41 **어머니에 내가 장사에 소질이 있는지?** 1990년

결혼하고 나서 군 복무도 끝나고 제대하여 서울로 신혼살림 출발하는 우리 부부에게 당부의 말씀이다.

어머니께서 하시는 말씀이 "너희 내외 둘 다 장사에 소질은 없으니까 어떻게 하던지 공무원 쪽으로 알아보라"라고 하신다 예 대답하고 하직 인사를 올렸다.

그리고 서울에서 14년의 세월이 지나는 동안에 흥망의 지난날을 돌아보면서 고향 집 어머니에게 물었다.

어머니 서울로 가는 저희 부부에게 장사에는 소질이 없으니까 공무원 쪽으로 하라고 하셨지요.

그렇게 말했지 지금도 그렇게 생각하십니까?
너희 내외가 지금 밥을 먹고 사는 걸 보면 엄마가 잘못 본거지

어머니는 정말 저희 내외를 정확하게 보셨습니다.
저희 내외 둘 다 장사에 소질이 조금도 없습니다.

어머니는 아들은 27년을 키웠으니까 장사에 소질이 없

고 공무원 스타일이라는 것은 아시겠지만,,.

3~4개월 살아보고 장사에 소질이 없는 것을 정확히 아시고 길 떠나는 아들 내외에 당부를 하시는지 자식을 보시는 눈은 정말 정확하셨다.

42 쌍용아파트로 이사하다 1991년

도장가게 삼중당에서 제일 가까운 곳에 아파트를 짓고 있을 때 넓은 한옥집 90평에 살아보니 관리하기가 힘들어서 직장과 가까운 아파트에서 살아보고 싶어서 알아본 곳이 걸어서 15분 거리에 있는 쌍용아파트였다.

나는 일에만 매달려 있다 보니 아파트 문제를 부인에게만 맡겨두었더니 33평형을 낙착을 보아놓았다. 42평짜리 넓은 곳도 있는데 왜 주방도 따로 없는 33평 소형으로 가야고 부인을 많이도 괴롭혔다.

그때만 해도 내가 건방지고 기고만장했든가 보다. 아버지 어머니를 모시지는 않지만 6남매 맏형 집이 42평은 되야 되지 않느냐고, 부인을 많이 괴롭혔는가 보다.

얼마나 괴롭혔는가 와이프는 42평짜리 주인과 우리가 돈을 좀 더 주고 아파트를 바꾸어서 살기로 했다는 것이다.

그리고 아파트 완공되는 것을 기다리고 있는데 우리 집에서 일이 생겼다.

지금의 구민회관 뒤쪽에 있는 옆집을 지어니까 우리 오두막집 33평도 따라 지어야 된다는 것이었다. 건축업자가

지하 1층 지상 3층으로 조감도를 빼왔는데 그럴듯하게 보였다.

와이프가 말했다 우리 아파트 바꾸어서 살게 되면 서로 팔 때가 문제가 되니까, 우리 집 지어지면 2,3층은 우리가 살면 안 되겠어요?

그래 33평 아파트에 조금만 살다가 우리 집 지어지면 2,3층으로 해서 살면 되지 하고 33평 아파트로 이사하였다. 거주지 주소는 창신 1동 삼중당 집으로 주소를 옮겼다.

'집은 지어 놓은 집을 사라고 했든가'

집 짓는 동안에 업자는 업자대로 이웃은 이웃대로 괴롭히고 지어놓은 집은 지하 1층 지상 2층 집 볼품없는 집이었다

그래서 33평 아파트는 거주지 주소를 옮기지 않고 10년을 살았다.

44 혜화경찰서 위민위원으로 1993년

동대문경찰서는 지금 혜화경찰서로 명칭이 바뀌었다. 청량리경찰서는 동대문경찰서로 개명해서 쓰고 있다.

매달 한 번씩 위민 위원들(조규종)과 아침에 회의하고 경찰서장 경무과장 간부 경찰들과 위원들과 회의를 하면서 지역민들의 어려운 사항을 경찰 간부들과 의논한다. 위민 위원증으로 간단한 검문은 넘길 수 있는 시절도 있었다.

보안과에서는 보안 위원회 교통과에서는 교통위원회

방범과 자율방범위원회 각과별로 민간인과 유대관계를 맺으려고 애를 쓰고 있다.

45 **인장함 大中小 만들고 넓은 가게** 1994년

인장함을 여러 가지를 모아서 좋은 점은 따고 필요하지 않는 부분은 과감히 없애고 실용신안 특허까지 득하고 금형에 착수하였으나 부속품 '참 잘했어요'까지 만들었다.

고무인(참 잘했어요)까지 금형을 포장 케이스까지 엄청난 금액을 출현하였는데 판매는 되지 않았다.

넓은 가게 (권리금과 수리대금)로 옮긴 것은 실수가 되었다. 경조인 판매로 인하여 적자운영은 메꾸어 저 가는 것으로 계산된다.

46 **라이온스회원에 가입하다** 1995년

경찰서 위민 위원들의 소개로 라이온스클럽 회원이 되었다 신영철 회장과 차기 회장 등등 간부들이 지역 유지들은 다들 가입해있어서 내가 어디 지역 유지가 된 기분이었다.

봉사활동도 많이 하지만 회비도 만만치는 않았다. 그들과의 유대관계를 맺는 것도 사회생활에 도움이 되겠지만 나에게는 부담이 가는 모임 이여서 2년하고 3년째는 그만둔 것으로 기억된다.

47 **맹호부대훈련병에 도장주문시작** 1996년

맹호부대에 신병 교육생에게 기념품 도장을 비공식으로 김순동 씨가 주문받아오던 것을, 나는 서진섭 회장님을 통하여 사단장님 한테까지 인사를 하였고 보안부대까지 인사를 했는데 김순동 씨한테 양보를 할 수가 없었다.

김순동씨(28, 30사단, 9사단 백바부대) 납품업자가 주문받아 오는 것을 삼중당에서 만들어 주었는데 근간에 와서 김순동씨 자신이 독립적으로 기념품 도장 제작하겠다고 하던 차에 맹호부대도 2번 주문서를 받아와서 삼중당에서 만들어주었다.

나에게는 공식적으로 군부대 도장 주문이 시작되는데 양보할 수가 없지요. 김순동씨는 이번만 양보를 해주면 다시는 따로 도장 제작을 않겠다고 사정사정 하였지만 그렇게 할 수는 없었다.

48 **창신1동 새마을금고이사 하다** 1997년

지역에 살고 생업을 하는 상인으로써는 새마을 금고에

가입하여 이사를 하는 것이 당연한 것 같은데 숫자 개념이 약한 나로서는 왜 이렇게 고생을 하나 싶었다.

예나 지금이나 새마을 금고 이사하면 지역의 유지로 들어가는 관문인가 싶다.

비상근 이사장으로 근무하시는 분을 보면 나이 차이가 좀 있지만 나도 10년 후에는 이사장 아니면 이 지역의 지도자가 되지 않겠나 미루어 생각해 본다.

49 **창신1동 자연보호회장** 1998년

창신1동 자연보호회장을 하면서 동장님과의 유대관계도 맺고 관변단체회장으로 등록하였다. 그때나 지금이나 단체의 장이 누구에 따라서 정치성향이 나오는 것 갔다. 여당성향의 지원을 받아 회장이 되었다.

한 달에 한번씩 모임도하고 친목도 다지고 동장님도 모셨고 홍제천이나 구기동 자연보호 헌장탑 주변을 청소한기억이난다.

49 **적층식 화분수족관 실용신안** 1998년

적층식 화분 겸 수족관은 금형을 파는데 그때 당시 오천만원 출현도 많았지만 기대도 컸고 생각도 많았다.

적층식 화분은 실내나 실외에 담을 쌓기도 하고 사이사이에 식물을 키울 수도 있고 물고기를 키울 수 있는 형식의 화분이나 수족관을 쌓아서 가림막을 하거나 간편식 벽을 쌓는 것을 만든 셈이었다.

대기업에서 만들었다면 성공하지 않았을까 생각해 본다.

50 **선거관리감시위원에 선임** 1999년

종로 선거관리위원회로부터 98년도에 창신 1동 한나라당 추천으로 창신 1동 투표구 위원 활동하고 있었는데 99년도에 종로구 선거 관리 위원으로 선임되어 종로구 선거관리 위원회의 교육을 구청에서 받았다.

앞으로 선거에 대비하여 특별단속 위원으로 임명을 받았다. 선거 때만 되면 선거 관리 위원석에 앉아서 지역사람들을 보고 있으니 지역에서는 알려지는 사람이 되어가고 있다.

50 **내년구의원선거에 출마 양보하다** 1999년

한나라당 천안중앙연수원에서 내년선거를 위하여 1박2일 당원교육이 있었다. 내년도에 선거를 대비하여 출마예상자 예비교육이었는가 싶다 첫날당원교육이 끝나고 이재광씨와 방배정이 같은 방을 쓰게 되었다. 이재광씨는 나에게 내년선거에 꼭 출마하라고 밤을 꼬박 새우면서 출마권유를 하는 것이었다.

그때당시는 이재광씨는 창신1동협의회책임자였으니 이재광씨의 추천만 있으면 창신1동대표로 구의원에 출마할 수가 있었다. 그래서 나보고 출마해보라는 것이었다.

그런데 창신1동은 호남민주당세가 너무 강해서 한나라당 보수세력은 될 수가 없는 지역이라서 이재광씨도 나에게 출마권유를 하는 것 이였다. 밤을 꼬박새우면서 서로 양보하고 당신이 나가라고 자기가 뒤에서 밀겠다고 할 때 나도 같이 맞섰다.

나는 창신1동에 거주한지도 얼마 안 되고 당신은 오래도록 살았고 당신이 닦아놓은 자리에 왜 내가 나가냐 이번만 당신이 나가고 다음에는 나에게 밀어달라고 했다. 날밤을 꼬박 새우고 나니 연수원방송에 아침식사 마감시간이 되어가니 빨리나와 식사하라고 할 때 이재광씨는 그랬다. 이번만은 자기가나가고 다음은 당신이 나가야돼요.

나도 화답을 했다. 그래요 이번만 당신이 출마하고 다음부터는 계속 내가 나갈께요. 그리고 우리 아침밥 먹으려 갑시다. 이재광씨는 그래 이번만은 자기가 나가고 다음에는 계속 당신이 나가야돼... 알았습니다. 이제 아침식사 하려갑시다.

51 **삼중당 큰길로 나오다** 2000년

가게 앞 큰길에 있는 안경점에 가서 돋보기 하나 구입하면서 잘 아는 주인에게 사장님 안경점 오래 하셔가지고 돈 많이 벌어서 다른데 가서 건물 구입해서 가시게 되면 여기 안경점 가게는 나에게 주세요.

하니까 돋보기 하나 구입하면서 남의 가게에 와서 그렇게 심한 말을 할 수가 있습니까? 아니 사장님께서 돈을 많이 벌어서 빌딩을 구입해서 가시면 그때 이 안경가게를 나한테 인계해 주라는 것이죠. 하고 안경점을 나왔다.

그 후 한두 달이 지난 후에 안경점 주인한테서 전화가 왔다. 나를 보자고 하여 불려갔다. 안경점에 갔더니 당신이 가게를 주라는 소리를 했는데 얼마를 주려고 합니까?

하길래 달라는 되로 드려야죠. 했더니 그럼 일억 한 장주세요 깍지도 말고 가게 보증금 일천만원(계약평수10평)포함해서 한 장 받고 나갔다는 소리 듣고 싶는 것이다.

자리 좋은 가게를 갖고 싶은 생각에 그러자 하고서 안경점 가게 인수 작업에 들어갔다. 남의 말 하기 좋아하는 사람들은 바닥 권리금을 너무 많이 주었다고 한다.

그때 그 시절에는 줄만큼 주었다고 생각되었고 지금도 대로변 전철역 입구 쪽으로 잘 나왔다고 생각한다.

젊었을 때는 내가 물건을 만들어 놓고 첩첩 산속에 있어도 구입하러 오도록 해야 하는데 나이가 들으니 길가 노점이나 마찬가지라고 한다.

53 **조립식도장 특허 타 업소에 꽃피다** 2002년

인쇄 활자 4개를 조립하여 인장 몸통에 조립하여 끼워서 찍으면 되면 조립식 인장을 특허까지 내어 팔기까지 해보았다. 인장 연합회에서 조각사들도 삼중당에 항의하는 조각사도 있었다.

도장에 관한 것은 개발을 하면 칼 조각하는 사람들은 전부가 못하게 방해를 해서 관심이 없는 사이에 특허권 연장도 하지 않았다. 몇 년이 지난 후에 플라스틱 조립식 도장이 나와서 타 업소에서 성업 중이다.

53 **두산a 이사해서 통장** 2002년

두산아파트로 이사해서 통장으로 내가 활동하고 영업을 하는 창신 1동에 소재한 두산아파트를 구입했다. 아파트에 이사를 오기도 전에 12통장으로 추천이 들어왔다. 통장을 하겠다고 수락을 하고, 아파트로 이사를 왔을 때는 창신 1동 자율방범대장도 해야 된다 해서, 낮에는 통장으로 야간에는 자율방범 대장으로 활동하였다.

그 사이에 동 주민자치원으로 위촉이 되었고 동사무소에도 자주 들락거리다 보니, 창신 1동 자연보호 회장도 맡아야 된다 해서 우리 동네를 대표해서 자연보호 활동도 하고 회장도 하였다.

해가 바뀌고 다음 해에는 주민자치 위원장이 되어서 지역 행사에는 빠지지 않고 참여하여 활동하다 보니 자율방범초소에는 나의 사진이 걸렸다. 내가 살고 있는 동사무소 주민센터에도, 나의 사진이 걸려 있어 지역주민들에게는 꽤 알려진 얼굴이 되었다.(2004~6)

창신 1동 대표로서 남원시 운봉읍 대표님과 도농 자매결연을 하기도 하였다. 창신 1동은 그때부터 매년 운봉 바래봉 철쭉축제에 참여하기도 한다. 남원 시장님이 직접 명예 남원시민이 되었다고 남원시 뺏지도 나에게 달아주셨다.

운봉읍에서는 매년 두산아파트 쉼터에다 농산물 일일장터를 펼친다. 창신 1동 주민은 싱싱한 농산물을 저렴한 가격에 구입하게 된다.

지금도 봄철이면 우리는 운봉읍 바래봉 철쭉축제에 가서 융숭한 대접을 받으면서 하루를 쉬고 온다. 가을철이면 우리 아파트 쉼터에서 운봉읍 사람들과 농산물로 도농 잔치로 왁자지껄해진다. 앞으로도 계속 이어지리라 믿고 있다. (2004~5)

55 **창신1동자연보호에서 연합회장** 2004~07년

창신 1동 자연보호(98년) 회장으로 활동하다가 종로구 자연보호 연합회장에 (03년) 취임하게 되었다. 취임식만 거창하게 할 것이 아니라 내실을 기하자는 뜻에서, 첫 사업으로 종로구 자연보호 어린이 사생대회를 개최하였다.

삼청공원에서 어린이 사생대회를 지역 국회의원과 구청장을 모시고, 미술을 전공한 관내 선생님들을 심사위원으로 구성하여 종로구청 강당에서 심사하여, 다음날에는 구청 강당에서 대회장상 국회의원상 구청장상을 공정하게 3일간에 걸쳐 종로구의 어린이잔치가 되게끔 하였다.

종로구 구기동 북한산에 가면 자연보호헌장탑이 있다. 회원들과 매달 북한산계곡과 개울을 청소하면서, 허술한 자연보호헌장탑 앞 주변에서 먹거리 영업을 하는 것을 보았다.

처음 자연보호헌장탑 설치한 대림산업에 찾아가서 수선을 부탁하였다. 종로구청에서 땅을 200평을 제공하고 그 위에 팔천만원을 들여서 공사를 하겠다는 약속과 시공을 끌어냈다. 주변 영업장에서 반발하여 항의하는 민원은 자연보호 회장의 몫이었다.

새로 단장된 자연보호헌장탑 제막식에 내빈으로 오신 대림산업 부회장님은 탑 주변 도로를 넓히고 부대시설을 2천만원으로 중장비를 지원하여 하겠다고 약속과 시행으로 오늘의 북한산 자연보호헌장탑은 종로구 자연보호 회원의 보호하에 존치되어 있다. (2004~9)

종로구 자연보호회(이상근)와 충북 제천시 자연보호(조덕희의원)가 자매결연을 하기로 하고 우리 종로구 회장단 일행 45명은 버스 한대로 제천시청을 찾았다. (2004-7-9)

제천시장님과 시의장님을 비롯해 시청직원 전부가 시청광장에서 시청사까지 도열하여 박수로 반겨주었다. 우리 회장단에는 종로구를 대표한 자부심을 느끼게 하고 제천시 청사 상황실에서 자매결연 조인식을 거행하였다.

자매결연 조인식이 있은 날은 제천시 박물관 제천시를

대표하는 의림지와 몇몇 곳을 해설하면서 보여주는데 해설사가 너무도 잘 설명해 주어서 다음에도 제천시를 관광하는 사람에게는 꼭 소개를 해주었다.

매년 가을에는 제천시를 방문하여 일손 돕기를 하고, 봄에는 제천시 자연보호회에서 종로구로 탐방을 왔다. 그로 인해 나는 제천시 한방엑스포 축제 홍보위원 위촉장을 받았다.

55 **주민자치위원에서 위원장으로** 2004~05년

04년도 주민자치위원으로 1년을 하고 난 이후에 05년 1월 1일부로 주민자치위원장으로 위촉을 받았다. 위원장이 되면 행정복지센터 3층에 사진 액자를 걸어놓는다.

동네에 얼굴을 내밀고 사는 주민이면 봉사직이지만 누구나 하고 싶어 한다. 위원장이 동네 주민 행사를 주관하기 때문이다. 감투를 좋아하는 사람들은 구의원이나 마을금고 이사장으로 가는 길목으로 생각한다.

56 **방송통신대학으로 만학이** 2005년

방송통신대학으로 만학이 시작되다. 고향 어머니는 자식이 서울 가서 공무원 되기를 바랐다. 그러나 어릴 때의 꿈은 꿈으로 끝나고, 60세 늦은 나이에 주변에서나 지역에서 종로구 의원에 출마하려면 학력이 부족한 것은 사실이었다. 문화교양학과에 입학은 하였는데 젊은이들과 어울리는 것은 좋은데 시간이 문제였다.

방송통신대학에 다니는 것도 좋긴 한데 젊은이들과 어울리는 것까지는 좋았는데 시간이 부족하여 1학년 마치고 2학년초에 휴학계를 내게 되었다. 맞춤법 검사를 원하는 단어나 문장을 입력해 주세요.

56 **청계천복원추진위원 활동시작** 2005년

청계천 복원 추진 위원회 참여하다. 이명박 서울시장이 되고 나서 나는 민간인(주변 상인대표)으로써 서울시 청계천복원공사 추진 위원이 되었다. (2002~5)

그때 당시 버스 중앙 차로제 요금 환승시스템으로 서울시 정책이 곤역을 치르던 시기에 맞추어서 청계천변에서 가게 점주나 건물주인 모두가 반대하는 입장인데 청계천 복원 추진 위원(종로 20명 중구 20명 성동 15명 광진 15명)이란 누구나 달갑지 않는 직책이었다.

반대하는 이유로는 청계천 복원한다고 교통을 통제할 때 교통대란이 나서 서울의 교통마비가 된다는 것이었다. 청계천복원공사 처음 시작하는 날에는 복원 추진 위원들이 곳곳에 배치되어 불상사가 나올까 지켜보곤 했다.

우여곡절 끝에 무사히 청계천이 복원되니까 너도나도

청계천 구경을 하겠다고 앞다투어보면서 왜 반대를 하였던가? 물어 보고 싶다.

복원공사를 얼마나 반대가 심하였던지 추진 위원이란 위촉장도 없이 명함도 없이 자주 모여서 일했는데 복원공사가 완공되고 나서 청계 8가쯤인가에 청계천 600년 소리에 나의 이름 이상근도 기록돼있어 위안은 되었다.

복원공사가 끝난 그해 12월 말에 서울시청 그릴에서 저녁식사와 표창장이 나왔다. 다른 추진 위원은 표창장을 받는데 나는 받지 못했다. 서울시장 표창을 다른 건으로 2년 이내 받았다는 것이 이유였다.

인터넷 검색창에서 이상근 경력 란에 청계천복원 추진 위원이라고 올리고 싶어서, 서울시청에 찾아가서 경력증명서를 요구하였다.

공사를 한지가 15년 전에 일이라 그때의 일이 폐기되어 없고 청계천 백서에 이상근 주민증을 대조해서 청계천 복원공사에 참여했다는 기록을 찾아 증명서를 받았다.

'다음'에서는 인정해 주는데 '네이버'에서는 복원공사 당시에 직책이 기재되지 않았다는 이유로 인정이 안 된다.는 것이었다.

56 쓸개담석 서울대학병원에서 수술 2005년

2000년도 쯤으로 기억된다. 잠자는 도중에 오른쪽 가슴 아래가 한자리가 매일 밤 그곳만 아팠다. 아파트 앞 방익수 내과 병원에 가서 병원장에게 아픈 곳을 가리켜 주고 검사를 부탁했다.

검사 결과는 아픈 부위 아래에 쓸개에 돌이 들어 있다는 것이다. 그때부터 저녁밥을 적게 먹고 술을 한 잔씩 하게 되었다. 한 달에 한 번씩 날짜가 별 틀리지 않고 아팠다.

그 아픈 강약도를 수첩에 기록하였다 5년간 관찰일기를 섰다. 담석의 크기는 직경이 12mm와 8mm 2개가 있어서 쓸개로써 역할을 못한다는 것이다.

선거를 앞두고 아픈 사람으로 보이기 싫어서 담석 제거수술을 하기로 결정하고 수술은 서울대학병원에서 하였다. 쓸개 없는 사람이 되어 쓸개즙이 나오지 않으니 소화에 지장이 있지 않나 염려하였으나 수술 결과도 좋았고 부작용도 없었다.

56 **큰딸을 시집보내다** 2005년

큰딸이 원주 전문대학에 합격하여 기숙사에 짐을 실어다 주면서 이제부터는 떨어져 나가는 연습을 하는구나 하고 슬슬함을 느꼈다. 결혼식 전날은 오늘 밤만 자고 나면 완전히 떨어져 나간다고 하니 마음이 우울해진다.

산내리 한정식집에서 상견례를 하고 나서, 광명시 사돈되시는 분을 만나러 가서 제가 지방선거에 나가려니 결혼식장을 우리 집 앞 삼우 웨딩에서 올리면 어떻게냐고 조심스럽게 말씀드렸다.

이렇게 좋은 일에 서로 협조해야죠. 쾌히 승낙하시고 장소와 날짜도 일임해 주셨다. 상견례 때나 지금이나 우리 부부보다는 사돈 내외분이 인상이 더 좋게 보였다.

초등학교 일학년 때 건강이 좋지 않아 마음 쓰이던 큰 딸이 성장하여 부모 곁을 떠난다니 대견스럽기도 하고 이제는 다 키웠구나 싶다.

선거를 앞두고 삼중당에 데리고 있던 큰딸을 시집보내다 2005년 9월 11일에 삼우 웨딩에서 손님이 많았다.

57 **처음선거시작에 상대의 고발로** 2006년

처음 선거가 시작되면서 상대의 고발로 나의 선거사무실과 삼중당 점포 두산아파트 여동생 상분이 사무실을 동시에 압수수색당하다.

삼중당에 있는 컴퓨터와 선거 후원금 명부 내가 살고 있는 두산아파트에서 집사람의 통장을 압수당했다.

종로경찰서 지하 4층에서 영장실질심사를 기다리다. 서울지방법원에서 영장실질심사 결과 풀려났고, 조사와 재판은 선거 이후로 연기되었다.

선거가 끝나고 또 검찰청에서 출두 명령서가 나왔어 검사실로 갔다. 담당 검사는 나에게 본 적이 어디냐고 물었다. 담당 검사는 나의 중학교 20년 후배였다.

57 **처음 구의원선거에 실패하다** 2006년

처음으로 종로구 지방의원에 도전하였으나 실패도 돌아갔다. 지역주민들의 추천으로 지방의원 선거에 한나라당의 공천을 받아서 2006년도에 복수 공천으로 처음 실시한 시스템이라 공천자 이름을 가나다순 번에 의하여 가번과 나 번이 정해진 것이었다.

처음 시행한 제도라서 주민들의 인식 부족도 있었겠지만 나의 모자람이 더 컸으리라 108표 차이로 떨어지고 말았다. 선거에 떨어지고 삼중당 가게에서 힘이 없어서 부동자세로 가만히 앉아있었다.

힘없이 가만히 앉아있는 모습이 처량하게 보였던지 와이프가 말한다. 안경집 예쁜 아주머니랑 식사라도 한번하고 오세요. 어느 부인이 이웃에 혼자 살고 있는 아주머니랑 식사하고 오세요. 착한 부인을 두었을 때 이런 때는 어떻게 처신해야 하나?

영남 사람이 호남에서 군 복무를 하는 동안 그 지역 사람과 결혼하여 평생을 살고, 나는 영남의 골수 당원이면서도 민주당 사람들과 인연이 많이도 얽혀있다.

59 **경동대학컴퓨터공학과입학하다** 2008년

경동대학 컴퓨터공학과 입학하다. 지방의원 선거 후보의 학력란에 실업고등학교 졸업 방송통신대 휴학 중으로는 학력이 부족하다는 느낌도 있었지만, 지역의 대표자인

데 대학을 나왔으면 하는 나 자신이 움츠려 드는 느낌이 었다.(2006,05,31)

내가 살고 있는 지역의 유명 인사 한 분이 당신은 학력이 부족하니 경동대학교에 컴퓨터공학과를 소개해 줄 테니 입학원서를 접수해 보라는 것이었다.

59 **아버지 보훈장학금으로 대학을** 2008~12년

학교 입학원서를 제출하면서 아버지 국가유공자 7급이라고 증명서를 제출했는데 입학금과 등록금이 전액 면제된다고, 하면서 성적이 뒤 딸아 주어야 면제된다는 것이었다.

국가유공자 7급과 대학교에 원호 장학금 제도는 김대중 정부 때 생겨난 제도라면 나는 정말로 행운을 타고났다고 보겠다.

때맞추어서 아버지께서 국가유공자가 되시고 그리고 내가 대학교에 입학했으니 만학을 하는 나는 시기적절했다. 육십을 앞두고 경동대학교에 입학하여 컴퓨터공학전공에 만학(지각생)으로 공학사증을 받았다.(2008~2012)

60 **출근길 어지럼증으로 구립의료원으로** 2009년

아침 출근길 아파트 화단 앞을 지나가는데 너무 어지러

워서 바로 국립의료원으로 갔다. 국립의료원에서 안 받아주고 지역의 작은 병원을 거쳐서 1차 병원에서 소견서를 받아오라는 것이다.

몸이 아파서 온 사람을 동네 하급 병원에 들려오라는 것이 어디 있냐고 소리를 질렀다. 그제야 병원 입구에 가정의학과가 있는데 거기에 가보란다.

국립의료원 정문 입구에 가정의학과를 찾아갔더니 여의사님께서 '이런 상태로 어떻게 여기까지 찾아오셨어요.' 이제부터는 저희가 다 알아서 모시겠습니다.

그리고 가능하면 MRI 촬영까지 오늘 뽑도록 도와드리겠습니다. 하면서 중환자 취급을 하여 간호사 한 명에게 환자를 하루 종일 붙들고 다니면서 검사를 시키라는 것이었다.

두 시간을 고속으로 이곳저곳 검사를 마치고 12시 점심시간 직전에 MRI 촬영실 앞까지 갔다 같이 간 간호사와 촬영기사와 몇 마디 주고받더니 오늘 오후에 MRI 촬영하실 분은 오래전부터 예약이 되어 있는 분인데 한 사람을 취소시키고 대신 촬영해야 합니다. 그리고 대신 끼워 놓아야 합니다 그러니 오후 식사하시고 1시 30분경에 와서 기다려 보십시오.

오후 식사 후 1시 30분에 MRI 촬영실에서 기다렸다. 어떤 남자 환자가 촬영캡슐대에 누웠는데 촬영기사가 병원에 오시면서 술을 드시고 오시면 어떻게 해요. 환자는 술 안 먹었어요. 하는데도 병원 의사를 속이려고 하시면 안 돼요. 촬영대에서 내려오세요. 그리고 술 안 드신 날 다음에 오세요.

그 예약환자가 나간 것을 보고 나보고 촬영대에 올라가라는 것이었다. 그때 당시 80만원을 내고 며칠 전에 예약환자분을 재껴놓고 내가 먼저 촬영한 것이 미안한 마음이다. 그 환자분이 술을 점심 반주로 하고 왔는지 안 했는지 모를 일이다.

60 추간공 협착증 5,6,7번 고장 2009년

무릎 아래가 처음에는 한 쪽만 볼록하게 혹처럼 나오더니 나중에는 양쪽에 다 나오기 시작하여 엎드려 절하는 것에 지장을 초래하였다.

약수역에 있는 관절 접골 병원에 갔는데 무릎 아래에 주사를 주어서 아프고 겁이 났다. 우신향병원에 물리치료를 하기도 하였다 MRI 촬영도 하였다. 신통한 효과가 없어서 청량리역과 시조사 사이에 있는 병원에 하루 입원하면서까지 검사를 하여 약을 처방받아서 먹어도 효과가 없었다.

서울대학병원에 가서 검사를 하고 MRI까지 찍고 하여도 병명은 못 찾고 시간만 보내고 있었다.

날짜가 많이 지나 선거철이 되어 선거운동을 3개월간 할 때이었다. 무릎이 아파서 충신동의 오르막 내리막길을 다니려면 다리가 찰랑찰랑 내려앉아서 선거운동하기가 매우 힘들었다.

허리와 무릎이 아프면 최종적으로 가는 곳이 강남에 있는 우리들병원이라는 말을 듣고 우리들병원을 찾아갔다. 허리 아픈 사람들이 무척 많이 왔다.

나의 차례가 와서 의사선생님에게 여태껏 검사받고 진

료받은 경과를 말씀드렸더니 MRI를 찍으려면 돈이 한두 푼 드는 것도 아닌데 여러 번을 찍어셨어요.

먼저 병원에 가셔서 MRI 찍은 것을 복사해오세요 만원만 주면 복사해 줄 것입니다. 서울대학병원에 가서 MRI 찍었던 것을 복사해왔다.

의사선생님의 MRI 판독 결과를 말씀해 주시는데 병명은 추간공 협착증 5,6,7번 고장입니다. 너무나 상태가 안 좋아서 우리들병원에서는 수술할 자신이 없다는 것이었다. 최종적으로 찾아온 병원에서 수술할 자신이 없으면 어쩌라는 것입니까?

아픈 것을 참고 견디는 수밖에 없습니다. 수술 대신에 진통제 약을 매일 드셔야 되고 또 안정제 주사를 25일 만에 한 번씩(25만원 상당) 맞아야 됩니다.

의사 처방전대로 약을 처방받고 주사실로 갔다. 주사실에는 건장한 남자 간호사 4사람이 기다리면서 이주사는 목에다 주사하는데 양팔과 양다리를 꼼짝 못 하게 동여매고 4사람이 붙들어야 된다는 것이었다.

양손과 양쪽 발목을 동여매더니 꼼짝 못 하게 붙들고 큰 주사기를 목에다 들이대는 것이었다. 주삿바늘이 목을 찔러는 순간 두 눈을 감았는지 어떻게 하였는지 모르겠다.

겁에 질린 나에게 주사하는 동안에는 그렇게 못 참을 정도로 아프지는 않은 것으로 기억된다. 목에다 25만원짜리 주사 맞고 매일 처방전 약을 먹고 선거운동에 열심이었다.

종로 5,6가동 충신동 창신 1,2,3동

숭인 1,2동을 2~3개월을 새벽부터~저녁까지 오르막 내리막을 쫓아다녔다. 진통제 안정 제약을 먹어서인지 아픈 통증도 모르고 뛰어다니다 보니 선거는 당선으로 병도 나아있었다.

61 구의원당선 행정문화위원장 2010년

종로구의회에 진출 4년을 주민들에게 더 많은 봉사한 결과 2010년에는 당선으로 이어졌다. 육십에 종로구 의원에 당선되고 초선 의원인데도 전반기에는 행정문화 위원장에 선출이 되었다.

(2010~2014)

행운이 겹쳐서 밀려오는 느낌이었다. 재선 의원도 선출되기 힘든 분과위원회 위원장이라니 기다리던 소망이 이루어졌다.

국회의원이 아니고 지방의원이라 할지라도 우리 집안이나 처갓집에서도 처음 있는 일이라, 구의원 뺏지를 달고 고향집에 부모님을 찾아 인사를 드렸다. 일가친척들은 잔치를 벌이고 아버지는 지금 죽어도 이제는 아쉬움이 없다고 하셨다.

밀양 집에서 잔치를 하고서 광주 처갓집에 가서 장인 장모님께 절을 올렸다. 장모님은 '자네한테 있었던 일 이젠 다 잊어버렸네' 넋두리를 하신다.

내가 결혼하자마자 처갓집에서 돈을 갔다 쓴 게 얼마던가? 사업을 한답시고 처갓집 재산을 날려먹고 빈털터리로 있을 때, 장모님은 장인어른으로부터 시달림을 많이도 받으셨다.

그 시달림 받으신 것은 잊어버리고 지난번 선거 때도 또 나도 모르게 집사람에게 선거자금을 보내주었다. 그 선거자금을 보내준 것을 나는 경찰조사 과정에서 알았다.

사위가 이젠 미울 만도 할 텐데, 지난번 선거자금 가져다 쓴 것은 전부 놔두고 이번 선거에는 처이모님을 통해서 돈을 또 보내주셨다. 우리 장모님 넋두리 나올만할 것이다. 나는 나중에 본 것이지만 처갓집 뒤 곁 토방에 정화수 한 그릇이 올려진 것을 보았다.

구의원 임기 4년 중에 아버지 현충원에 가시고 얼마 못 가서 장모님도 하늘나라로 가셨다. 집사람은 나에게 '당신은 아버님과 장모님께 효도했다'고 말한다.

촉망받는 선출직 공무원(종로구 의원)이 되었다. 이것 또한 지각생 의원이었다.

61 **육군복지단에 도장납품(2010~2013)** 2010년

육군 복지단에 도장 납품(계약2010~2013) 1년단위로 계약이 되어 논산 육군훈련소(훈련병)에 인장 영업이 시작되고, 전 육군 예비사단 훈련 기념으로 도장이 납품되다.

계약이 되었다고 인장주문서가 솟아지는 것은 아니고 훈련병들이 기념으로 도장주문을 하여야 만이 거래가 이루어지게 된다.

군부대내에 들어가 P.X를 통해서 훈련병들에게 도장주문을 할 수 있는 사람이 필요했다.

서진섭 김용래 진중령 김순동 이러한 사람들이 도장 주문하는 사람 중에 잊지 못할 사람들인데

62 **청첩장 발송 아버지 대전 현충원으로** 2011년

종로구의원 재직 중에 둘째 딸을 결혼시키게 되었다. 결혼 청첩장(6/25) 발송하였는데 아버지 별세(6/10) 하셨다는 부음을 전해왔다.

하늘이 무너졌다는 소리를 들은 적은 있지만 나에게도 이런 일이 일어나다니, 아버지는 유별나게 둘째 딸 미경이를 아껴주었다. 미경이를 조금 나무랄 일이 생기면 아버지께서 두말을 못하게 막아서셨다.

사돈되시는 분께 부음을 알려드리고 고향으로 가서 아버지 영정 앞에 섰다. 정신이 암울한 가운데서 아버지를 대전현충원에 안장시키고 의회사무실에 멍하니 앉아있을

때 종로구 의회 직원이 인사장도 마련하여 주었다.

아버지께서 나의 정신세계를 지배하고 계셨든가요? 한 달 동안은 정신 나간 사람으로 멍하니, 아니 일 년가량은 후유증으로 시달린 것 같다.

62 둘째딸 결혼식 한빛예식장에서 2011년

첫째 딸 예식장은 제일 가까운 예식장을 삼우 웨딩으로 정하여 주었는데 둘째 딸은 예식장 선택권을 주어서 두 번째로 가까운 한빛 웨딩 플라자라고 한다.

예식장과 날짜는 일반적으로 신랑 신부 합의해서 신랑 측 위주로 정하는 같은데, 첫째 딸은 신부 측 혼주인 필자가 정하였는데 둘째 딸에게는 저희들의 의논하여 정하였다.

예식날 식장에 들어갈 때까지만 해도 날씨가 맑고 좋았는데 우리 예식 도중에 밖에서는 소나기가 들이부었다고 나중에야 알았다. 예식이 끝나고 나왔을 때는 날씨가 맑고 좋았으니까 예식장 안에 있는 사람은 몰랐다.

63 연세대학 정경대학원(행정학 전공)입학 2012년

(2012,3,1~2014,8,29)

행정공무원을 안 해본 상태에서 지방의원에 선출되고

바로 위원장이 되었을 때, 나 자신이 남보다 노력해야 되겠다고 느끼고 있을 때 경동대학교(컴퓨터공학전공)를 졸업하였다.

대학교 지도교수님이 연세대학교 정경대학원(행정학 전공)을 추천해 주셨다. 우리 경동대 학우들도 25명 정도가 같이 가서 다른 쪽 대학에서 온 응시생과 부러는 순번에 따라 면접장에 들어갔다.

나에게 면접관이 정경 대학원에 어째서 지원하게 됐나요?

예 제가 종로구 의회에 초선 의원인데 행정문화 위원장입니다. 행정문화를 조금 더 배울까 해서 지원하게 되었습니다.

또 면접관이 합격시켜주면 학교에는 잘 나오겠습니까? 예 제가 공부는 못 따라갈는지 모르겠지만 학교에 나오는 것은 한 번도 안 빠지고 나오겠습니다. 경동대학교도 하루 빠지고 다 나갔습니다.

면접시험을 보고 며칠 뒤에 이상근, 이경훈 두 사람만 (동기25명 중) 합격하고 나머지 23명 모두가 떨어졌다는 것이다. 집사람은 학비 걱정 말고 잘 다니라고 격려해 주었다.

63 **연세대 원주에서 야간질주 밤 운전** 2012~14

일주일에 2번은 원주에서 서울까지 평균 135km 야간질주(23시~24시)를 했다. 원주에서 서울까지 오는 도중 고속도로에서 나를 앞질러 가는 사람은 5사람 정도 되었다.

지금 생각해 보면 63세에 대학원 수업을 23시까지 받고 자가운전으로 오는 것을 보고 와이프나 자녀들은 원주에서 잠자고 다음날 서울로 오라는 것이다. 선배님도 똑같은 케이스에서 원주에서 잠자고 오는 것을 보았다.

그러나 나는 그래도 그 선배보다는 4살이니 아래라는 핑계로 재학 기간 내 줄곧 자가 통학을 하였다.

63 **구의원 재직중 대학원 재학중 장모님별세**2012년

종로구 의원 재직 중에 대학원 재학 중에 장모님께서 돌아가셨다. 사업 자금을 선뜻 내주시고 또 선거자금을 뒤에서 돌려주시고 표시 한번 내시지 않던 장모님께서 돌아가셨다.

선거에 당선되고 나서 광주에 계시는 장인 장모님께 인사드리고 나서 처갓집을 한 바퀴 돌아보면서, 뒤 곁 토방에 조앙 물이 떠져있는 것을 보았다.

코끝이 시큰해지고 눈시울이 촉촉해진다. 유난히도 정이 많으시고 어려운 사람은 그냥 보고 지나지 못하시는 장모님이었기에, 사위를 위해 목욕재계하시고 빌었으리라 생각된다.

와이프에게서 장모님 젊은 시절 이야기를 들었기 때문이다. 불의는 참지 못하시지만 어려운 사람을 보고도 그냥 지나가는 것을 보면 언제나 눈짓으로 도움을 주라고 신호를 보내신다.

그러한 장모님이 내 곁을 떠나셨다니, 와이프는 내게 그런다 "당신은 어머니가 원하던 종로구 의원이 되고 대학원까지, 사위가 잘 된 것을 보시고 돌아가셨으니 효도한 셈이 되어요."

63 구의원후반기 분과위원장 자리다툼 2012년

선출직 공무원에 당선되고 나면 유권자의 눈이 되고 귀가 되어서 직함에 따라서 구청이나 시청 정부 관공서 곳곳을 감시 감독하고 의견을 제시하고 대안을 제시하기에 바빠야 한다.

그런데 의장을 누가 하느냐 부의장은 분과 위원장은 누가 하느냐에 혈안이 된다. 자기가 하려고 또 자기 사람을 심으려고 애쓰는 사람들을 보아왔다. 전반기 때에는 얼떨결에 행정문화 위원장이 쉽게 되었다. 국회의원님께 선거를 다시 하는 기분입니다. 하고 말씀드리니까. 국회에서는 더 심합니다.

후반기에 의장 부의장 분과 위원장 줄을 섰는데 우리편이 몰락을 당했다. 후반기 분과 위원장에 실패하고 후유증으로 몇 주간을 출근을 안 했다.

몇 주간을 출근을 안 하다 나갔더니 상대의 3선 의원이 심하게 나무랐다. 그런데 그 3선 의원은 4선이 되었을 때, 몇 주가 아니고 달을 넘게 출근 안 했다. 는 전언을 들었다.

64 **후반기에 예산결산위원장** 2013년

후반기에는 위원장을 못하고 넘어 가는가 했는데 상대의 당에서 예산 결산위원장으로 세워줄 테니까. 아니한다는 소리만 하지 말고 가만히 있어라는 것이었다.

그러고 나서 다음날 아침에 출근해서 우리 편에서 한 의원님이 예산 결산위원장으로 밀어달라는 것이었다. 좀 늦었습니다.

당신은 큰 것을 받았으면 작은 것은 나눠 줄 수도 있어야지 이것저것 다 혼자서 가지려면 어떻게 하느냐고 반문하였지만 그 의원님은 표 대결을 해보자는 것이었다.

예산 결산위원회가 열리고 나서 위원장부터 뽑는 표 대결이 시작되었다. 상대편에서 전부 나에게 표를 주었고 우리 편에서도 그 의원님만 자기를 찍고 우리 편도 다 나에게 표를 주었다.

생각지도 않던 예산 결산위원장이 굴러들어 왔다. 어느 의원님한테 한 번도 부탁하지도 않고 적극적인 지지로 내년도 예산 결산위원장이 되었다.

65 **재선에 실패하면서** 2014년

재선에 실패하면서, 문밖출입을 하지 않고 대학원 졸업논문에 집중하고 있었다. 졸업논문이 통과되고 대학원 졸업식(2014,8,29)도 끝나고 지루한 나날을 보내고 있었다.

국회의원이나 높은 지위에서 떨어졌으면 외국으로 바람도 쉴 겸 유학이라도 떠났을 것이다. 고작 선출직으로는 제일 낮은 기초의원 선거에서 떨어지고 허송세월을 보내고 있다가 대학교 지도 교수님께 전화를 걸어서 학위나 하나 더 받게 대학원 박사과정을 소개해달라고 졸랐다.

교수님께서는 백방으로 수소문하셨는지 11월경에 전화가 왔는데, 충남대학교 경영학박사과정을 접수할 날짜가 10일이 지났으니 내년도에 접수해오면 받아주겠다는 약속을 받았다는 것이다.

그때부터는 일 년 동안만 기다리면서 컴퓨터 공부 영어 공부를 하면서 저녁이면 서예실에 가서 붓글씨도 쓰고, 낮에는 성균관대학교 유학대학원에 가서 유림지도자 과정을 졸업하면 충남대학교 경영학박사과정에 들어갈 수 있다는 희망을 가지고 살았다.

65 **갑상선수술 하고 목소리 잘나와** 2014년

용두동 건강검진센터에서 갑상선암이 발견되었으니 큰 병원을 가야 하니 어느 병원으로 소개해 드릴까요? 물어서 먼저 쓸개 제거 수술을 서울대학병원에서 했으니 그 병원으로 보내주세요 했다.
서울대병원에서 검사를 받을 때 내 앞에 환자 두 사람에게는 목 갑상선에 혹이 크게 있어도 괜찮으니 참아라고 했는데 내 차례가 와서 의사선생님의 소견이 악성 종양이라서 선택의 여지가 없고 쓸개 제거 수술밖에 할 수 없다는 것이다.

밖에 간호사의 의견이 빨리 수술을 하려면 국립의료원으로 가면 한 달 이내 할 수 있고 여기 서울대병원에서 하려면 3개월 이상 기다려야 된다는 것이다. 3개월을 기다려서 병원으로 갔는데 의사선생님이 바뀌고 다른 곳으로 가도 된다는 것이었다.

기다린 겸에 젊은 의사선생님에게 수술받기로 하고 수술 날짜를 잡아서 서울대병원으로 갔더니 수술 후에 당분간 목소리 잘 안 나올 수도 있다는 것이며 갑상선 양쪽 다 잘라낸 것을 병원 의료용으로 기증해 달라는 것이었다.

지난번 쓸개 제거 수술 때보다는 마음이 여유로웠다. 무난히 수술을 마치고 목소리도 생각보다는 잘 나왔다.

65 **연세 정경대학원(행정학전공)석사 졸업** 2014년

(2012,3,1~2014,8,29)

행정공무원을 안 해본 상태에서 지방의원에 선출되고 바로 위원장이 되었을 때, 나 자신이 남보다 노력해야 되겠다고 느끼고 있을 때 경동대학교(컴퓨터공학전공)를 졸업하였다.

대학교 지도 교수님이 연세대학교 정경대학원(행정학전공)을 추천해 주셨다. 우리 경동대 학우들도 25명 정도가 같이 가서 다른 쪽 대학에서 온 응시생과 부러는 순번에 따라 면접장에 들어갔다.

나에게 면접관이 정경 대학원에 어째서 지원하게 됐나요?

예 제가 종로구 의회에 초선 의원인데 행정문화 위원장입니다. 행정문화를 조금 더 배울까 해서 지원하게 되었습니다.

또 면접관이 합격시켜주면 학교에는 잘 나오겠습니까?

예 제가 공부는 못 따라갈는지 모르겠지만 학교에 나오는 것은 한 번도 안 빠지고 나오겠습니다. 경동대학교도 하루 빠지고 다 나갔습니다.

면접시험을 보고 며칠 뒤에 이상근, 이경훈 두 사람만(동기25명 중) 합격하고 나머지 23명 모두가 떨어졌다는 것이다. 집사람은 학비 걱정 말고 잘 다니라고 격려해 주었다.

66 **성균관대학교 유학대학원에** 2014~15

유학대학원에 유림지도자 과정을 수료하면서 성균관대학교 동문이 되었다. 전국 방방곡곡에서 온 유림들과 교육을 받았다. 오랜 시간이 지나더라도 우리 변치 말자고 동기회도 결성하였다.

2년 과정과 1년 과정이 있었는데 나는 일 년 과정을 이수하였다. 수업 중에 유학대학원 원장을 지낸 ○○○ 교수한테 유학대학원 박사과정을 물어보았다.

전 원장님은 박사과정 면접 때 몇 개 국어를 능통하게 구사할 수가 있는가? 묻는다는 것이었다. 그래서 유학대학원 행정실장에게 또 물어보았다. 행정실장은 박사과정 원서 내는 방법을 가르쳐 주었다.

역시나 박사과정 입학원서 써는 것이 책 한 권 쓰는 거보다 어려웠다. 그래서 학부 교수님께 의논을 하였다. 학부 지도 교수님은 전화로 피식피식 웃었다.

교수님 웃어 셨습니까? 같잖다 그래서 웃어 신 것 아닙니까? 그렇죠 지방대학 우리 대학 나와서 연세대학교 정경대 학원에서 석사학위 받으셨으면 되었지 성균관대학교 박사학위는 그렇죠 ... 다른 대학으로 한번 알아보아 드릴게요.

66 **평생교육원 컴퓨터 수도학원 영어** 2015년

박사과정 원서접수 기간이 10일이 지나서 내년도에 오

면 받아주겠다는 것이었다. 낮에는 신설동에 있는 남서울 대학교 평생교육원과 수도학원 영어수업을 하고 저녁이면 서예학원에 다니고 있었다.

일 년 반을 박사과정에 들어가겠다는 희망을 가지고 학업에 열중하다가, 대학교 지도 교수님께 또 전화를 드렸다. 깜짝 놀라시면서 대학원 대학교에 전화를 해보아야 된다는 것이었다.

교수님의 답변 전화는 박사과정 접수 날짜가 또 10일이 지났으니 내년을 기약하면 일 년 후에는 우선적으로 받아줄 것이며 다른 혜택도 주겠다는 것이었다.

지도 교수님! 저는 이젠 일 년을 더 버틸 힘이 없습니다. 다른 대학원이라도 알아보아주십시오. 정말 부탁드립니다. 간곡하게 간청을 하였더니 교수님은 다른 대학원으로도 알아보아 주겠다는 대답을 받았다.

ㅇㅇ 대학교와 학비와 기간도 알려주었다. 기독교를 열심히 믿는 것도 아닌데 내가 총신대에서 박사학위를 받으면, 교수님께 우리 집이 기독교 집안도 아닌데 다른 학교로 알아보아 달라고 했죠.

며칠 있다가 ㅇㅇ대학교 컴퓨터공학과를 이야기했다는 것이었다. 내 나이가 몇인데 컴퓨터공학박사라니 면접 날짜를 기다리고 있었다. 대학 졸업장은 컴퓨터공학과 졸업이었다.

면접 전날 전화가 왔다. 나이가 있으니까. 컴퓨터 공학도는 안 되겠다면서 경영학 쪽으로 소재하겠다는 것이다.

67 **상명대학교 경영학박사과정 입학하다** 2016년

ㅇㅇ대학교 컴퓨터학교수님의 소개로 상명대학교 일반 대학원(국제통상전공) 박사과정에 원서를 접수하고 면접시험을 보았다. 경동대학이나 연세대학교 정경대학원에서 경영학을 한 번도 공부를 안 했기 때문에 선수 4과목을 더 이수하는 조건으로 합격하였다.

박사과정 수강신청이 끝나고 첫 개강 날에 수업을 갔을 때 지도교수님의 친구(서울대 동기생 51세) 한 사람과 다른 원생 2(41세, 42세) 사람과 같이 경영학박사과정 팀 4명이 되어 공부를 할 것으로 되었다.

젊은이들과 한자리에서 공부하고 토론을 한다는 것 자체만으로도 자긍심이 생기고 공부도 열심히 하였다. 1학기 공부한 결과 2과목이 A+이고 1과목은 A였다. 나이 많은 원생이라고 후대를 한 것 같다.

상명대학교 경영학박사과정에 들어갔는데 지도교수님은 ㅇㅇㅇ부총장님이었다. 수업을 같이 할 학우가 지도교수님의 친구 황준ㅇ서울대학 경영학전공 미국 와튼스쿨에서 석사졸업 했다고 한다.

첫1학기가 끝나고 2~4학기부터는 50%장학금으로 충당했다. (2016,03,01~2018,08,23)

연세대학교 정경대학원(행정학 전공)에 석사학위도 지각생으로 받았다.

또 한 번 더 지각생이 되어 상명대학교 경영학(국제통상학) 박사를 70에 수료하고 지각생으로 논문 학기 중이다.

68 **종로복지관에 다니기 시작하다** 2017년

신설동 평생교육원에 내가 너무 오래 다녔는지 잘난채를 하였는지 전찬ㅇ 강사가 괄시를 하는 것 같아서 다니기가 힘들었다. 그래서 옮긴 곳이 이화동에 있는 종로구립 복지관이다. 종로구민만 다닐 수 가 있는 곳이니까 아는 얼굴이 많았다.

복지관카드를 만들고 식사 값은 3500원으로 수강신청도 여러 과목 컴퓨터와 휴대폰 수필쓰기 하모니카 늦게라도 시창작도 배우게 되었다.

오전에 출근하다시피 하여 2시간 수업하고 점심식사 하고 오후수업하고 걸어오면서 시도 한 편식 쓰게 되었다.

69 **새마을금고 감사출마 무산되다** 18년

새마을금고 이사장과 대학 동문이라서 가깝게 지내는 처지였다. 자기의 건강 상태를 보아서 당신은 학벌이 있으니까 이사장을 하게 되면 연합회까지 진출할 수 있는 기회가 된다는 것이었다.

그래서 감사 선거에 나가보라는 것이었다. 선거에 운동을 하려니 출마 자격이 미달이라는 이유로 안된다는 것이었다. 대의원 선거이었데 대의원 명단까지 확보한 상태에서 선거에 나가보지도 못하고 그만두게 되었다.

감사선거가 목적은 아니었으니까, 포기도 싶게 되었다.

69 **지방선거에 흐름을 못 따라** 2018/05

지방선거가 있는 해가 되어서 선거 설명회가 있다는 광고 현수막을 보고, 사무장 할 수 있는 사람 혜화동 거주 임찬ㅇ를 섭외하여 데리고 선거 설명회를 듣고 왔다.

임찬ㅇ씨는 처음 선거 때도 잘 도와주었고 그 계기로 국회의원 사무실에서 운전도 하게 되었으니까. 서로 좋은 감정을 가지고 선거 설명회를 듣고, 자기 집으로 돌아가야 하는데 혜화동 쪽으로 가는 게 아니고 종로 6가까지 나만 따라왔다.

왜 혜화동 집으로 가지 않고 나만 따라 오너냐고 물었다. 자기는 공사판에 목수 일을 해서 하루에 17만원을 버는데 오늘은 집에 가서 무어라고 말 하나는 것이었다. 그래서 뒷주머니에서 10만원을 얼른 끄집어내어주었다.

오후 2시에 만나서 2시간 정도 교육받고 10만원 받았으면 불만은 없었으리라 생각된다. 노총각 때 나를 만나 늦은 나이에 가정을 이루려니 마음도 급했으리라. 생각된다.

선거사무실 하려면 지난 선거 때 쓰던 사무실 관리인에게 전화를 걸었다. 전화를 몇 번 하는 돼도 전화를 받지 않았다. 몇 번의 전화 시도로 통화는 되었는데. 다른 데를 알아보라는 것이었다.

이럴 수가 선거사무장 할 사람과 선거사무실 할 곳이 엇박자를 놓다니, 이것은 지난번 선거에 패하고 맥빠져 있는데 사무실과 사무장이 엇박자가 나는 것은 선거를 접으라는 신호인가 싶다. 그래서 시작해 보지도 않고 선거를 포기했다.

선거 서류접수 마감 지난 첫날에 경쟁자 되는 사람이 전화가 왔다. 어떻게 된 거냐고 묻길래 그렇게 됐다고 포기했다고 말했더니, 알았다면서 전화를 끊었다.

그리고 그 친구는 ‘가’번을 연거푸 2번을 받아 당선되고 3번째는 ‘나’번을 받아 낙선되어 지금은 뜻을 같이하고 의견이 맞는 친한 친구로 지내고 있다.

나는 선거 흐름에 잘 맞지 않았는지 모르겠다. 첫 선거때 이름자를 가나다순으로 해서 피해를 봤다. 그때 지구당 위원장은 ‘가‘번을 주려고 했는데도 중앙당의 방침이 후보자 이름을 가나다순으로 ’가‘번 ’나‘번 번호를 주었다.

이번 선거에 출마했더라면 ‘가‘번을 받을 가능성이 많을 때에 이런저런 이유로 출마를 포기했으니 정치 흐름을 같이하지 못했다고 볼 수 있다.

69 **상명대학경영학(국제통상전공)박사수료** 18년

(2016,03,01~2018,08,23)

박사과정 졸업시험도 좋은 성적으로 통과하고 영어 과목도 코스워크로 패스하고 선수과목한과목만 이수하고 있고 3사람 동기생은 수업이 벌써 끝났다.

동기생 서로 간에 안부연락도 하면서 지내고 있었다.

69 칠순 특허증 전자카렌다 디스플레이 18/7

69 **서울시복지센터 칠순에 영상제작을** 18년

종로구 복지관에 1년을 다니고 나니까 안국동에 서울시 복지센터가 있다는 것을 알았다. 복지관 수업 운영 방침과 점심 식삿값(이화동 3,500, 안국동 1,000)도 달랐다.

종로구 복지관은 수강신청을 하여서 인원이 많을 때는 추첨하여 떨어지면 갈 때가 없었다. 그러나 서울시 복지관은 수강 신청하고 추첨에 떨어져도 시간이 맞는 다른 과목을 수강하면 될 수도 있었다. 컴퓨터실도 2곳이나 있었다.

자연스럽게 두 복지관을 다닐 수밖에 없게 되고 어떤 때는 이화동에서 오전 수업하고 점심을 먹고 바쁘게 안국동으로 오후 수업하려 빠른 걸음으로 가고, 안국동에서 오전 수업하고 점심 식사하고 빠른 걸음으로 이화동으로 가게 된다.

바쁘게 복지관 수업을 하다 보니까 왔다 갔다 하다 보면 양쪽 다 식사시간을 맞추지 못하여 중간에서 일반 식당에서 점심 식사를 하고 오후 수업을 할 때도 있었다.

70 유튜브 개설 이상근 TV 19/03/11

70 **금고 이사장에 출마하여 낙선** 19년

종로중앙새마을금고 이사장에 출마하여 낙선하다. 개표 전까지만 해도 당선되는 줄로 생각했는데 차점으로 낙선하여 다음을 기약하다.

먼저 박창훈 이사장이 처음에는 감사부터 하고 다음에 이사장에 출마해 보라고 권유를 했는데, 필자가 무엇을 잘못하였는지, 본인 자신이 이사장을 한 번 더 해야 되겠다는 것이었다.

이번 한 번만 더하고 다음 선거에서는 당신에게로 밀어주겠다는 허언을 일삼는 사람을 많이 보아왔고 겪었기 때문에, 이것은 통상적으로 선거에서는 상대를 갈아 앉지는 수법 중에 하나라고 생각하고 출마하는 그대로 진행시킨 것이다.

박창훈 이사장과 무척이나 가까운 사이에서 선거 과정에서 멀어져서 지금은 먼 곳에 있는 당신이 되었다. 그렇다고 해서 마을금고 이사장 출마 한 것에 후회하지는 않는다.

지금까지는 대의원 투표제에서 이사장 선거만은 회원투표제로 하고, 선거관리위원회에서 전국 동시선거제도(2025년 3월)로 전환한다고 공표하여 알고 있다.

70 **문예춘추에 등단과 시비 세움** 2019/5/17

종로 복지관에서 시와 수필을 배웠는데 수필은 한상렬 선생님한테 배우고, 시는 박정이 선생님한테 처음 배웠다.

수필을 몇 타임을 배워도 들어오지 않았는데 시는 한 타임으로도 웬 만치 집히는 데가 있었다. 일여 년 정도 배우니까 시인도 몇 사람 알게 되었다.

수업 시간 중에 선생님은 자기한테서 등단하려면 3년 이상 배워야 등단을 시켜준다는 것이다. 그런데 어떤 문우님은 70이 넘고 80십이 다 되어가는데 언제 3년을 기다리냐는 말을 하면서 다른 곳도 추천하는 것이었다.

한국문예춘추에 이양우 이사장은 경주李가 雨 자 항렬이라 相 자와는 숙항 벌이 되었다. 충남 보령에 가면 "시인의 성지" 가있고 거기에서 문예춘추 계간지를 발행한다.

"어머니를 고려장하다니'로 등단하고 '목련 꽃 몽우리'로 시비를 세웠다. 는 소리를 듣고는 박정이 선생님은 무척이나 서운해 하셨다.

71 **빈혈과 어지럼증 쥐가나** 2020년

손과 발이 뒤틀리고 어지럼증이 있어서 서울대학병원에 응급실로 걸어서 들어간 적이 2번 있고, 어떤 때는 정밀 검사 결과 약을 먹을 단계는 아니고 조금 더 지켜보자는 것이었다.

목이 붙고 어지럼증이 심하여 삼중당가계에 있는 와이프에게 국립의료원 응급실로 간다고 하니 그런 일로 응급실로 가야고 핀잔을 준다.

응급실에 입원 하여 하루를 보내고 국립의료원에서 정밀검사에 들어갔는데, 턱밑 목과 귀 사이가 붙고 통증이 있어서 이비인후과를 갔는데 목에 돌이 생겨서 수술을 해야 된다는 것이었다. 메추리알을 숨겨 놓은 거 같이 부어있었다.

급하게 수술날짜를 잡아놓고 병원에 나가지 않았다. 병원에서 연락이 왔는데 수술을 하고 아니하는 것은 본인의 자유인데 상태를 관리 하고 있어야 한다는 것이었다.

지금은 체력이 되어서 수술을 할 수 있지만, 나중에 수술할 수 체력이 안될 때는 어떻게 할 것인가를 생각해보고 결정하라는 것이었다.

다시 수술날짜를 잡아주세요. 하고 수술에 들어갔다.

71 타석증 국립의료원 수술 2020년

72 타석증 재차수술 침샘제거 21년

72 금고감사서류반려 장인요양원으로 21년

72 **동기생 중에 첫 박사논문 통과** 2021년8월

좋은 성적으로 통과하였지만 박사과정의 꽃이라는 박사 학술논문만은 4사람 동기생 중에 1명만 통과하고 3사람은 10년까지 대기 중이다.

이대로 간다면 3사람은 박사수료로 끝날 가능성이 크다. 황준호 동기생이 논문 제목 “핀테크 환경하에서 암호화폐 수용에 미치는 영향요인과 과장에 관한 연구“ 논문이 나오고 12월 13일 4사람은 만나고 그 이후로는 만나지 못하고 있다.

73 포털사이트 네이버 다음 유튜브 검색 22년

73 어머니향년95세 금고대의원부터 22년

73 지방선거 22년

73 시인처럼 살고 싶다 출판 22/12/14

74 이상근 TV 유튜버활동 23년

서울복지센터에서 시창작영상으로 유튜버로 활동 중이다. (2019~현) 내가 정성을 다하여 운영하던 삼중당(도장 재료 판매업)에도 이런저런 핑계로 아내에게 맡기고 업소에 나가지 않다 보니 영업도 잘 안되고, 내가 있을 자리가 맞지 않아 복지관에 나가서 팝송이나 부른다.

복지관에서는 다양한 프로그램으로 노후의 교양과목 취미활동을 수준에 맞추어서 가리켜준다. 붓글씨를 쓰는가 하면 문인화도 배우고 태블릿으로 디지털 드로잉, 자화상을 그렸는데 전시회도 할 예정이다. 시나리오도 3편이나 썼다.

시나리오 3편을 쓴 가운데 이번에 쓴 작품“짝”은 곧 촬영에 들어갈 것 같다. 내가 공부하는 것은 문우들과 함께 詩를 창작하고 한걸음 더 나아가서 그것을 동영상으로 제작하여 유튜브에 올린다.

“아들딸이 보고 싶다”우리 어머니와 형제자매들을 소재로 하여 詩를 쓰고 휴대폰으로 찍은 것을 다큐 극영화로 만들었다. 복지관 영상관에서 상영할 예정이다.

다양한 여러 가지 방법으로 제2의 인생 제3의 인생을 살아가는 방법도 있겠지만 칠십이 넘어서(지각생) 詩人으로 등단하고 어제는 수필로 등단(문예춘추) 하였다. 앞으로 여생이 얼마나 남았는지 모르지만 詩로써 말하고 수필로 말하고 동영상(이상근 TV)으로 말한다면 즐겁게 문우들과 교우한다면 즐거운 나날이 될 것 같다.

75 금고 감사선거에 낙선 24년

이상근 프로필

1950년 경남 밀양출생
sam7633111@naver.com

유튜브 : 이상근 TV 채널운영

상명대학교 일반대학원 국제통상전공 (경영학박사수료)
연세대학교 정경대학원 행정학전공 졸업(석사학위취득)
경동대학교 컴퓨터공학과 졸업(공학사 취득)

서울 종로구 구의회 의원
서울청계천복원추진위원회 위원
민주평화통일자문회의 종로구자문위원
성균관대학교 유학대학원 (유림지도자과정수료)

문예춘추 詩 수필 등단
역옹인문학상 수상

삼중당대표

010-5289-3111
02) 763-3111
우편 : 03104
주소 : 서울 종로구 종로5길 7
(두산a 103동 1405호 창신동)

*'네이버' '다음' 검색창에 '이상근' 검색하시면 참고가 됩니다.